Will Ghündee

L'invasion

Du même auteur

Série WILL GHÜNDEE, romans fantastiques

Tome 1, *Le monde parallèle*, éditions Michel Quintin 2005.

Tome 2, *Le Passage intemporel*, éditions Michel Quintin 2006.

Tome 3, *L'antre des Maltïtes*, éditions Michel Quintin 2007

Tome 4, *Le Continent oublié*, éditions Michel Quintin 2008

Tome 5, *La Chute du souverain*, éditions Michel Quintin 2009

Tome 6, *L'éveil du guerrier*, éditions Michel Quintin 2010

L'univers fabuleux de Will Ghündee, éditions Michel Quintin 2010

Série OBNÜBILUS, romans fantastiques

Tome 1, *Le trésor du pharaon*, éditions Hurtubise 2012

Tome 2, *L'île fantôme*, éditions Hurtubise, 2013

Tome 3, *L'ultime voyage*, éditions Hurtubise, 2013

Collection YOUBBA, romans initiatiques

Tome 1, *Victoire sur le terrain*, éditions Michel Quintin 2011

Tome 2, *Courageux Jérémie*, éditions Michel Quintin 2011

Tome 3, *Le trésor de Camille*, éditions Michel Quintin 2012

Tome 4, *Le rêve de Justin*, éditions Michel Quintin 2012

Louis Lymburner

—◆—

Will Ghündee

Tome 7

L'invasion

L'ÉCRIVAIN
DE L'EST

Catalogage avant publication de Bibliothèque et Archives nationales du Québec et Bibliothèque et Archives du Canada

Lymburner, Louis
Will Ghündee : l'invasion
Suite de : L'éveil du guerrier.
Tome VII.

Pour les jeunes de 9 ans et plus.

ISBN 978-2-924561-00-3

I. Laverdière, Benoît, 1957- .   II. Titre.   III. Titre : Invasion.
PS8623.Y42W535 2015   jC843'.6   C2015-940500-9
PS9623.Y42W535 2015

Éditions
L'Écrivain de l'Est
C.P. 373, St-Barthélemy (Québec) Canada J0K 1X0

Révision : Guy Permingeat
Correctrice : Réjeanne Gervais
Illustrations : Benoît Laverdière
Infographie et couverture : Interscript

Diffusion
www.lecrivaindelestediteur.com
www.louislymburner.com

Dépôt légal
Bibliothèque et Archives nationales du Québec, 2015
Bibliothèque et Archives nationales du Canada, 2015
Bibliothèque Nationale de France
1er trimestre 2015

ISBN 978-2-924561-00-3
1 2 3 4 5 - 2015 - 19 18 17 16 15
Imprimé au Canada

REMERCIEMENTS

Merci à Guy Permingeat, mon mentor et réviseur, à Benoît Laverdière, un ami et un illustrateur de talent, sans oublier Reggie, ma muse, ma Catherine...

DÉDICACE

*À tous les inconditionnels de la série Will Ghündee.
Vos très nombreux commentaires réclamant un septième tome ont fait la différence! Ce fut pour moi un privilège d'écrire cette nouvelle aventure! Puissiez-vous avoir autant de plaisir à la lire que j'en ai eu à l'écrire!*

1

APPEL NOCTURNE

Alors que le soleil brillait à l'horizon, dans un petit village situé à l'ouest de Mont-Bleu…

— Hé, Brody! Tu as vu le ciel ce matin? C'est étrange, non? lança un commerçant à un autre.

— Ouais… Y'a quelque chose qui ne tourne pas rond! répondit ce dernier, qui ne pouvait détacher son regard de l'horizon.

— Hum… Ce n'est pas normal. Jamais vu pareil phénomène auparavant, reprit son voisin de palier, l'air inquiet.

— Attention! Tous aux abris! s'écria soudain un villageois affolé qui courait vers eux en zigzaguant comme s'il avait le diable à ses trousses.

« Tchiiiiiikkk! Bzoummm! »

Les deux commerçants médusés virent le ciel, d'un rouge inquiétant, cracher une pluie de rayons lumineux qui s'abattirent à la vitesse de l'éclair, avec un bruit assourdissant, en atteignant leur cible.

De tous les côtés, on pouvait entendre des cris de terreur. Paralysés par la peur, ils furent témoins de scènes horribles. Les passants atteints par les maléfiques rayons se volatilisaient en une fraction de seconde.

— Noooooon! Pitié! Pas moi! hurlaient les villageois avant de disparaître sous le regard horrifié des deux commerçants qui s'empressèrent de se mettre à l'abri.

« Tchiiiiiikkk! Bzoummm! »

— Nooooon! Pitié! Pas mon fils! À l'aide! hurla une mère éplorée avant d'être foudroyée à son tour.

« Tchiiiiiikkk! Bzoummm! »

En proie à une grande panique, les villageois couraient dans tous les sens afin de trouver un abri pour échapper au déluge de feu qui s'abattait sur eux.

* * *

Quelques heures plus tard, à des kilomètres de là…

Will marchait depuis quelques minutes dans la pénombre, impatient de retrouver sa bien-aimée. Le matin en se quittant, ils avaient convenu de se retrouver sur le sentier pour une balade au clair de lune. En principe, il aurait dû voir Catherine apparaître au bout du chemin. Son retard commençait à l'inquiéter.

— Ohé, Catherine! Tu es là? Réponds si tu m'entends… Allez, cesse de me faire languir! s'écria Will un brin inquiet. Si tu es…

Avant même d'avoir fini sa phrase, il vit, avec soulagement, apparaître Catherine au détour du sentier. Alors qu'il s'élançait vers elle pour la serrer dans ses bras, la terre, tout à coup, se mit à trembler fortement. Déséquilibré par la secousse, il fut contraint de stopper net sa course.

— Wiiiiiiiiill! Que se passe-t-il?

Catherine, à la vue des gros cailloux qui dansaient sur le sol, cherchait désespérément à rejoindre Will. Au moment où celui-ci lui tendait la main, une large crevasse apparut à leurs pieds les éloignant brusquement l'un de l'autre.

Sur le moment, Will eut l'impression étrange qu'une force négative cherchait à les séparer. Encore sous le choc, les deux tourtereaux virent soudain, en provenance du ciel, une gigantesque lame de feu se diriger vers eux.

— Accroche-toi ! J'arrive ! s'écria Will pour rassurer son amie terrorisée.

Mais, avant même qu'il eût tenté quoi que ce soit, l'énorme langue rougeoyante lécha le sol et se dirigea droit sur Catherine, détruisant tout sur son passage. Impuissant, il vit avec horreur sa bien-aimée être aspirée au cœur du torrent infernal.

— Noooooooooon ! Pas Catherine ! hurla Will, la rage au cœur.

Quelques secondes lui suffirent pour comprendre qu'il était devenu, à son tour, la cible de la lame de feu meurtrière. Malgré sa course folle pour y échapper, celle-ci gagnait du terrain. Will avait l'impression de faire du sur-place tant le phénomène se rapprochait dangereusement. En moins d'une seconde, il sentit une chaleur intense l'oppresser. Toute tentative pour y échapper fut vaine. Le monstre rougeoyant léchait déjà le talon de sa botte qui fondit en un rien de temps, lui occasionnant une douleur insoutenable.

Alors qu'il détournait la tête une fraction de seconde dans l'espoir d'apercevoir sa bien-aimée, Will découvrit, au cœur du brasier ambulant, une multitude de visages torturés. Ceux-ci dévalaient vers lui, prisonniers d'une cascade flamboyante en laissant échapper d'horribles cris de détresse.

— Au secououours! Aide-nous, Will Ghündeee!

— Non pitiééééééééé! Pas ça! hurla ce dernier en fuyant avec l'énergie du désespoir.

Touché par ces cris insupportables, Will ne put se résoudre à abandonner ces pauvres gens à leur triste sort. Tout en sachant qu'il mettait sa vie en danger, il stoppa sa course folle pour tenter l'impensable.

Croyant pouvoir faire reculer la flamboyante muraille grâce à la magie de son épée Koudish, il la brandit et s'écria avec courage:

— PAR LES POUVOIRS DE CETTE ÉPÉE, JE T'ORDONNE DE RECULER!

Mal lui en prit, car, quelques secondes plus tard, son épée se liquéfia sous ses yeux et il fut happé à son tour, puis aspiré à l'intérieur du maléfique tourbillon. Will sentit avec horreur son corps se ramollir et fondre comme beurre au soleil. Stupéfait, il le vit s'aplatir au sol comme une crêpe pour être finalement aspiré avec force vers le haut.

— NOOOOOOOOON! Aidez-moi… quelqu'un!

Puis, plus rien…

Ce furent les ténèbres jusqu'à ce qu'un tintement lointain résonnant dans sa tête, lui fit soudain reprendre connaissance :

« Tinggggggggggg, Tinggggggggg ! »

— Hein! Que s'est-il passé? Oufff… Merci mon Dieu, ce n'était qu'un mauvais rêve! s'exclama Will en ouvrant les yeux, son cœur battant à tout rompre.

Ébranlé par ce énième cauchemar rempli d'images troublantes, il tenta de retrouver son calme. Après plusieurs inspirations profondes, les battements de son cœur reprirent un rythme normal et sa respiration se fit moins sifflante.

Qu'est-ce que je donnerais pour que ça cesse! Que peuvent bien signifier ces rêves horribles? J'ai l'étrange pressentiment qu'un danger bien réel menace de pauvres innocents… Mais qui sont-ils et où peuvent-ils bien être?

2
MONT-BLEU
EN ÉBULLITION

Si ce n'était de ces affreux cauchemars, Will profitait d'une vie relativement paisible à Mont-Bleu, et tout allait pour le mieux autour de lui. Ses rêves le persécutèrent pendant quelques semaines encore. Il n'en connaissait pas l'origine. Pourtant, il devait bien y avoir une signification à toutes ces visions troublantes… mais laquelle ? Il eut beau se creuser les méninges durant cette période sombre, il fut incapable de trouver la solution miracle pouvant faire cesser ses nuits tourmentées.

Finalement, à son grand soulagement et comme par magie, ce triste épisode cessa. Les cauchemars disparurent d'eux-mêmes et firent peu à peu place à des rêves étranges et apaisants dans lesquels apparaissait un radieux personnage qui le regardait en lui tendant la main. Heureusement, dès l'instant où Will se mit à rêver de cet humanoïde à l'aura éclatante, ses nuits devinrent plus paisibles.

* * *

Le village dévasté durant le règne du maléfique prince Victor, grouillait à nouveau d'activités, amenant une recrudescence de travaux pour Will qui vit son carnet de commandes exploser tant les besoins étaient grands. Les Montbleusiens se disputaient ses services afin de se procurer au plus vite tous les outils et objets qu'ils avaient perdus durant *la grande noirceur*.

Will filait allègrement vers sa majorité avec tout ce que cela impliquait de responsabilités et de changements dans sa vie.

Depuis quelques semaines, son paternel, le vieux Rod, le taquinait à propos de son avenir en lui lançant parfois :

— Il te faudra bientôt songer à prendre épouse mon gars !

Mais, Will demeurait silencieux, car avec Catherine ils avaient déjà planifié, en secret, de se marier au prochain printemps. Quelques jours plus tard, lors d'une fête au village, ils se firent une joie d'annoncer la nouvelle. Tout le monde se réjouit en apprenant leurs futures épousailles. Cependant, pour concrétiser le tout, Will devait, d'ici la célébration officielle de leur union, défricher un coin de terre pour y jeter les bases de leur futur nid d'amour.

Bien que ce projet lui tînt à cœur plus que tout, Will, qui logeait toujours chez le vieux Rod, trop occupé par tout ce qu'il y avait à faire à la forge, dut à contrecœur retarder et même remettre ses plans à plus tard.

Voyant que les tourtereaux ne pourraient habiter leur propre maison après la célébration de leur mariage, les parents de Catherine leur proposèrent une solution de rechange. Ils envisageaient d'ériger, au cours de la prochaine année, une cloison visant à séparer leur grande maison en deux. Ce qui permettrait aux futurs époux d'occuper une partie de celle-ci tout en jouissant d'une plus grande intimité.

Après mûre réflexion, Will et Catherine acceptèrent l'offre des Macbrides tout en se promettant bien de construire leur propre maison dès que cela serait possible. Cette solution permettait à Will de se consacrer entièrement au travail colossal qu'il devait abattre, du matin au soir, à la forge.

* * *

Par une matinée grise de septembre…

— Will… mais quand va-t-on pouvoir passer un peu de temps ensemble? demanda Catherine pour la centième fois alors qu'elle rejoignait son fiancé à son lieu de travail pour la pause de midi.

— Catherine… je fais ce que je peux… Il y a tant à faire ici et je ne peux refuser de les aider. Après tout… je me sens responsable du fléau qui a dévasté Mont-Bleu… Si ce n'avait été de mes voyages intemporels rien de tout cela…

— Will! coupa Catherine, sur un ton réprobateur. Vas-tu enfin cesser de t'accabler de reproches? Ce qui est arrivé n'est pas de ta faute. C'est le destin qui l'a voulu ainsi. Gaël te le confirmerait s'il était ici.

— Tu as sans doute raison… Malgré tout, je sens que j'ai une part de responsabilité, reprit le jeune forgeron, l'air soucieux.

— Bon, allez, Will Ghündee, parle, je t'écoute! Je sais qu'il y a autre chose qui te tracasse, l'encouragea Catherine.

— Eh bien... Tu as vu le temps qu'il fait depuis quelques mois? Il n'a pas fait soleil depuis presque deux mois et la température est instable. Cela me rappelle un événement désagréable dont j'ai été témoin dans le monde des Koudishs et qui découlait directement de l'emprunt du passage intemporel par Jawäd. En y repensant bien, j'en suis venu à me demander si ces écarts de température ne sont pas une autre conséquence de mes nombreux voyages dans les univers parallèles, rumina Will en fixant le ciel couvert de gros cumulus.

Après un court silence:

— Will... Tu te trompes! Sois positif! Crois-moi, tout rentrera dans l'ordre bientôt! Allez! Passe une bonne journée. Je dois y aller, j'ai moi aussi du travail qui m'attend. N'oublie pas que je t'aime Will Ghündee... On se voit ce soir, enfin... si tu tiens encore sur tes deux jambes, le taquina Catherine en déposant sur ses lèvres, seul endroit qui ne soit pas encore noirci par son labeur, un doux baiser qui fit retrouver le sourire à l'élu de son cœur.

***

Avec le temps et la montagne de travail qui s'accumulait à la forge, Will en vint à oublier complètement sa culpabilité. Il avait tant à faire qu'il ne voyait pas passer les journées. Puis, par une nuit froide de septembre, alors qu'il avait complètement occulté le triste épisode des cauchemars nocturnes, ceux-ci réapparurent, le tirant brusquement de son sommeil.

Tandis qu'il ouvrait les yeux, le cœur tambourinant, cherchant à retrouver son calme, un mystérieux tintement, semblable au son du marteau résonnant sur une enclume, l'interpella.

« Tinggggggg… Tingggggg… Ting… »

Hein… Mais qui peut bien faire tout ce vacarme en pleine nuit ?

Tel un chien de chasse aux aguets, Will se redressa dans son lit et écouta attentivement, croyant ainsi pouvoir en déceler la provenance. Mais, au moment même où il se levait pour se diriger vers la fenêtre, les tintements cessèrent.

Qui peut bien jouer du marteau à pareille heure ?

Comme les tintements avaient cessé et que tout semblait calme, Will, qui tenait à peine debout, décida de retourner à son lit où il se laissa choir lourdement.

Bah… ce n'est rien. Allons dormir. Il me reste encore quelques bonnes heures de sommeil avant d'entreprendre la prochaine journée qui s'annonce bien remplie encore une fois ! Un peu de repos ne me fera pas de tort.

Le jeune forgeron se rendormit aussitôt, convaincu que ce n'était nul autre que le fruit de son imagination, dû à un surcroît de travail. Mais à peine fut-il assoupi qu'à nouveau l'énigmatique tintement reprit de plus belle, l'extirpant une fois de plus des bras de Morphée.

« Tinggggg… Tingggg… Tingggg… »

Cette fois-ci, j'ai bien entendu ! Je ne rêve pas !

Résolu à éclaircir le mystère entourant ce tapage nocturne, Will bondit hors de son lit et enfila prestement ses vêtements. Après avoir chaussé ses bottes et remis son pendentif qu'il retirait uniquement pour dormir, il s'éclipsa sur la pointe des pieds.

Une fois dehors, il se laissa guider par les mystérieux tintements qui le conduisirent tout droit à la forge.

Hum... On dirait bien, effectivement, le son du marteau sur l'enclume.

Étrangement, au fur et à mesure que Will approchait de son lieu de travail, le bruit s'amplifiait. Celui-ci semblait maintenant provenir de tous les côtés à la fois comme si plusieurs ouvriers martelaient simultanément le métal. On aurait dit l'appel de détresse d'un village côtier, tant les tintements étaient omniprésents.

À proximité du vieux bâtiment, son attention se porta sur la lueur émanant de l'une des fenêtres.

Hum... Il y a bien quelqu'un à l'intérieur de la forge. C'est sans doute le vieux Rod. Il a eu un regain de nostalgie et il aura décidé de s'y remettre...

Alors qu'il arrivait devant la grande porte, Will constata avec stupéfaction que celle-ci était bel et bien cadenassée, comme il l'avait laissée la veille.

Mais j'y pense… Comment aurait-il pu entrer ? Je suis le seul à avoir la clef à présent ! Grand Dieu ! Mais par quel tour de passe-passe le vieux Rod a-t-il pu pénétrer à l'intérieur et cadenasser la porte derrière lui ? Il lui aurait fallu être un véritable magicien pour réussir un tel exploit ! Tout ça ne tient pas debout…

Désireux d'élucider cette énigme et de surprendre le mystérieux travailleur de nuit, Will longea le bâtiment avec la discrétion d'un espion.

Comme il arrivait près de la fenêtre d'où émanait la lueur, à l'instant même où il avançait la tête dans le cadre, une main se posa sur son épaule, le faisant sursauter.

— Catherine ! Mais… veux-tu bien me dire ce que tu fais ici en pleine nuit ? s'exclama Will, estomaqué.

— Eh bien ! Je sais que c'est dur à croire Will, mais j'ai fait un rêve étrange qui me semblait pourtant si réel…

— Mais encore ? continua Will, intrigué.

— Eh bien… dans ce rêve, tu me demandais de venir te rejoindre immédiatement à la forge, répondit la jeune fille encore somnolente. Alors me voilà. Mais toi-même que fais-tu…

— Will ! Catherine ! s'écria Kündo qui arrivait tel un spectre dans la nuit, les surprenant à son tour.

Alors que nos trois oiseaux de nuit se regardaient interloqués par cette situation incongrue, cherchant à comprendre la signification de leur présence à la forge à une heure aussi tardive, une voix monta derrière eux qui les figea.

— Vous comptez passer la nuit dehors ou quoi ?

— GAËL ! s'exclamèrent en chœur les trois noctambules aussi surpris par la réunion nocturne inopinée que par cette apparition inattendue.

— Mais entrez donc ! leur dit le messager du Grand Esprit avec un sourire taquin en tendant à Will, du bout des doigts, le cadenas de sa forge toujours fermé à clef…

3

BOULEVERSANTE RÉVÉLATION

Une fois à l'abri des regards indiscrets Will demanda:

— Gaël, vas-tu enfin nous expliquer à quoi rime tout ce cirque et la raison de ta présence ici, au beau milieu de la nuit?

— Un peu de patience, Will Ghündee… Au fait, trouves-tu que j'ai du talent? demanda Gaël en exhibant une épée en tout point semblable à l'épée Koudish, afin d'inciter ce dernier à croire qu'il venait tout juste d'en forger une réplique identique.

— Voyons Gaël! Je ne marche pas dans ton jeu… Tu essaies de me mener en bateau! C'est mon épée que tu tiens là, riposta Will, incrédule.

Histoire de contredire l'espiègle messager, Will se dirigea vers un endroit précis du plancher. Alors que tous le regardaient avec attention, il souleva le carreau de sa cachette secrète où reposaient sa fidèle épée Koudish et la pierre du Guibök.

— Mon épée! Elle y est encore. Mais… comment est-ce possible? s'exclama Will en attrapant son arme.

Après un court silence…

— Il semble bien que tu ne sois pas le seul à posséder des talents de forgeron, le taquina Catherine.

— Mais pourquoi deux épées semblables? interrogea Kündo qui n'arrivait pas à détacher son regard de l'arme qui étincelait entre les mains de Gaël.

— Demande plutôt à ton grand frère, répliqua le visiteur nocturne en lançant sa nouvelle création en direction de Will qui l'attrapa au vol de sa main libre.

À l'instant même où l'épée façonnée par Gaël entra en contact avec la main droite de Will, les pierres précieuses serties sur sa poignée se mirent à scintiller. Surpris de sentir une énergie incroyable l'envahir, Will laissa tomber son épée Koudish.

Comme ce fut le cas lors de son premier contact avec l'épée du Grand Esprit… Will fut subjugué par la prodigieuse lame et ne put en détacher son regard.

— C'est bien elle? Est-ce vraiment l'incroyable et unique épée du Grand Esprit? demanda Catherine ébahie.

— C'est exact, acquiesça Gaël dont le visage affichait maintenant un air solennel.

— Will! Ça va? demanda Kündo intrigué à la vue de son grand frère hypnotisé par le joyau à nul autre pareil qui se retrouvait à nouveau entre ses mains.

Gaël, qui avait tout orchestré, s'avança vers Will et lui toucha le bras, ce qui le sortit instantanément de sa transe hypnotique. Ses deux compagnons, qui observaient la scène, virent avec étonnement une fine aura bleutée qui, depuis son contact avec l'épée magique, irradiait le corps de Will.

— Que s'est-il passé? demanda ce dernier, abasourdi.

Comprenant qu'il tenait entre ses mains sa fidèle complice, trop heureux, il la fit tournoyer comme il l'avait fait si souvent par le passé quand, soudain, après un geste maladroit l'épée lui glissa des doigts. Par réflexe, Will tendit le bras pour la rattraper. Mais, avant même qu'elle ne touche le sol, l'arme divine vint se placer dans sa main comme si elle était attirée par un puissant aimant.

— Wow! Ça fonctionne toujours! s'exclama le jeune forgeron émerveillé.

Après un court silence, Will, déstabilisé par les derniers événements, se tourna vers son céleste compagnon:

— Gaël... dis-moi ce qui se passe! Je me sens tout drôle... Tu sais un peu comme quand...

— Tu as affronté Victor le maléfique! devina Gaël.

— Oui, c'est exact! Je me sens différent à l'intérieur! Comme avant...

— Que tu sacrifies tous tes pouvoirs pour rendre la vie au bon prince? poursuivit Gaël. Je sais...

— Oui, c'est ça! Pourquoi? Dis-moi...

— Non, mais, on peut savoir de quoi vous causez? lâcha Kündo qui cherchait à suivre le fil de la conversation.

— Il a raison! On aimerait bien comprendre nous aussi, renchérit Catherine, intriguée.

— Un peu de patience, mes amis. Je vais tout vous expliquer. Mais avant, Catherine, laisse-moi te remettre un petit présent en souvenir du passé, rétorqua Gaël en s'approchant d'elle.

Le messager du Grand Esprit fit alors apparaître dans sa main le fameux bracelet magique qui leur avait sauvé la vie et les avait ramenés de leur incroyable voyage dans le monde imaginaire du funeste oncle Tom.

Bien qu'étonnée de revoir le précieux objet, Catherine n'émit aucun commentaire et ne posa aucune question, laissant Gaël enfiler le bracelet à son poignet.

— Quant à toi, mon cher Kündo, j'ai quelque chose de très spécial à t'offrir.

Gaël posa alors sa main sur l'épaule du garçon qui sentit aussitôt, remontant à partir de la plante de ses pieds, une mystérieuse énergie l'envahir.

— Gaëlll! Qu'est-ce que tu m'as fait? Je ne sens plus mes pieds, Ouillle! Ça picote et ça monte le long de mes jambes! s'écria Kündo en titubant.

— Sois sans crainte mon ami, tu ne risques rien. Dans quelques secondes, tout rentrera dans l'ordre, lui dit le messager avec un sourire espiègle.

— Maintenant Gaël, dis-nous la véritable raison de ta présence ici, insista Will qui ne se sentait pas rassuré par les gestes de Gaël à leur égard, redoutant ce qu'il avait à leur dire.

— Bon, puisque tu insistes, Will… J'irai droit au but. Voilà… j'ai la désagréable mission… de vous faire part… d'une bien triste nouvelle.

— Mais encore? demanda Will, impatient devant les hésitations du céleste personnage.

— Pardonnez-moi de vous apprendre cela mes amis, mais… à nouveau, un grand danger vous menace…

— QUOI! Explosèrent en chœur les trois noctambules.

— Non! Je croyais qu'on en avait terminé avec tout ça, s'exclama Will.

— Hélas! Une force obscure en provenance d'un univers parallèle au vôtre est parvenue à investir votre monde. Vous devez tout faire pour contrecarrer les plans diaboliques échafaudés par ces envahisseurs. Il en va de la survie de votre planète, reprit le messager avec solennité.

— Tu n'es pas sérieux Gaël ! s'écria Will. Cela fait à peine un an que nous avons échappé à cette cochonnerie noire qui a infesté le bon prince Victor et ses hommes, et voilà qu'un autre danger nous menace ! Mais quand donc aurons-nous la paix ?

— Tu m'en vois plus que désolé, Will…, compatit Gaël sur un ton réservé aux heures graves.

Après quelques secondes, durant lesquelles ils se regardèrent tous avec consternation :

— Tu m'excuseras, Gaël, mais… je préfère te prévenir tout de suite que je ne pourrai pas accepter une nouvelle tâche, car vois-tu, ma vie a changé. J'ai des projets d'avenir et…

— Je sais, coupa Gaël. Je comprends… Il y a tes fiançailles avec Catherine, ton métier indispensable aux Montbleusiens et ton affection pour ta famille. Mais, Will… si toi tu ne fais rien, qui les empêchera de compléter leur œuvre meurtrière ?

— Le Prince Victor et son armée de braves le pourraient, suggéra Will qui, pour la première fois, cherchait à échapper à ses obligations de héros. Tu n'as qu'à les mettre sur la piste des envahisseurs et ils feront ce qu'ils ont à faire pour les contrer.

Voyant que Gaël n'émettait aucun commentaire, et après un lourd silence qui sembla durer une éternité, Will déclara :

— Gaël, mon ami… loin de moi l'idée de me défiler, mais, comme tu le sais, j'ai beaucoup donné par le passé. J'aimerais bien qu'on me laisse en paix maintenant. Je voudrais juste pouvoir vivre une vie normale, comme tous les autres jeunes de mon âge.

Gaël, tout en regardant Will, demeura silencieux.

Après un long soupir, Will pressé de clore la discussion, reprit :

— Trouvez-vous un autre surhomme pour cette mission, moi je passe mon tour.

— Bien… Nous ne pouvons te forcer, Will. Mais, sache que ni le bon prince Victor et son armée ni quiconque habitant ce monde ne pourra empêcher le terrible fléau qui va bientôt s'abattre sur vous. Tu es le seul humain qui représente une réelle menace pour ces êtres diaboliques, termina Gaël, l'air déçu.

4

LA PORTE DES UNIVERS

Après un court instant de silence, Gaël, le visage rongé par la tristesse, s'approcha de Will et se mit à le fixer intensément comme s'il arrivait à lire dans ses pensées…

— Will, si vous ne faites rien pour contrer l'envahisseur, les répercussions seront plus terribles encore que ce que tu as pu voir en rêve ces derniers mois et dans la réalité, conclut Gaël en pointant de son index le plafond de la forge pour lui rappeler les désordres qui régnaient au niveau du temps, depuis peu.

— Non! Attends Gaël! Ne pars pas! s'écria Catherine lorsqu'elle vit le messager qui s'apprêtait à disparaître. Accorde-moi quelques instants pour lui parler.

Interpellé par sa sincérité, Gaël se ravisa et fit un signe de tête à l'intention de Catherine, puis tendit le bras vers son protégé afin de lui permettre de le ramener à de meilleurs sentiments.

Catherine se rapprocha de Will et posa la main sur sa joue afin de l'inciter à la regarder droit dans les yeux.

— Will! Moi aussi j'ai beaucoup souffert de tes nombreuses absences, en particulier de cette année entière qui nous a été volée alors que j'ai été séparée de toi à mon retour du Guibök. Mais, cette fois-ci, plus que jamais auparavant, tu dois réagir! Il s'agit de notre monde, ne l'oublie pas. Je sais que tu es déchiré et je sais aussi que tu cherches à protéger notre bonheur, et c'est humain de réagir ainsi. Toutefois, on ne peut courir le risque de voir des milliers de nos semblables massacrés par ces monstres. Crois-moi, nous devons faire cet important sacrifice! termina Catherine.

Leurs regards restèrent accrochés pendant quelques secondes qui semblèrent durer une éternité pour Catherine. Après un long silence, Will se ressaisit et lança au grand soulagement de tous:

— Bon! D'accord! J'en serai... mais ce sera ma dernière mission. Maintenant, dis-moi Gaël, de quoi s'agit-il vraiment ? Car je devine que tu ne serais pas ici si la situation n'était pas grave, voire désespérée.

— Tout d'abord Will, je dois te remercier et te dire que c'est une sage décision de ta part. Encore une fois, tu fais preuve de loyauté et cela t'honore grandement. Peu importe ce que tu crois, le Grand Esprit a une affection particulière pour toi.

« Pour en revenir à la raison de ma présence ici, celui que certains surnomment le Très-Haut m'a convoqué pour me charger de vous venir en aide. Je dois te préparer et te donner les armes qui te seront nécessaires afin de stopper l'invasion et sauver les pauvres innocents qui vont bientôt subir la méchanceté de ces envahisseurs venus d'un autre univers… »

— Tu parles d'envahisseurs, mais de quel monde viennent-ils ? interrogea Will en resserrant sa prise sur la poignée de l'épée divine.

— Et pourquoi nous ? lâcha Catherine en se pressant contre Will, dévastée par le sombre bilan exposé par Gaël.

— Que nous veulent-ils ? renchérit Kündo l'air inquiet.

— Mes amis… du calme! Laissez-moi vous expliquer! Depuis des lustres, votre monde est surveillé par des créatures malveillantes possédant une technologie très avancée. Ces mutants, aux pouvoirs redoutables, viennent d'une planète nommée Orphéga, située dans une autre dimension de l'univers.

« Il y a quelques mois, ils ont décelé une brèche formée dans le continuum espace-temps, ou si tu veux une sorte de tracé lumineux laissé par l'un de tes voyages intemporels. Cette trace cosmique, que vous pouvez également appeler «porte des univers», prend hélas un certain temps avant de disparaître.

« Malheureusement, cette dernière, plus longue à se dissoudre, fut apparemment causée par ton dernier retour sur Terre en compagnie de tes amis du monde de la princesse Arthélia. Ce qui aura permis à ces créatures malveillantes de localiser le passage et de l'emprunter. Ce faisant, ils ont eu accès à certaines informations te concernant, entre autres, l'existence de la pierre du Guibök qui renferme le prodigieux pouvoir de voyager plus aisément d'un univers à un autre. Ce qui, comme tu le devines, serait un outil précieux pour ces oppresseurs.

«Malheureusement, ils sont venus avec l'intention de vous soumettre et de détruire votre monde si…»

— Ça, n'a rien d'inusité, intervint Will avec du feu dans les yeux. Ça me rappelle Malgor, mon vieil ennemi juré!

— Oui, mais la mauvaise nouvelle, Will, c'est que leur première cible a déjà été atteinte… Il s'agit du village qui t'a vu naître. Les ravisseurs qui se sont secrètement installés ici depuis plusieurs mois, ont enlevé les habitants de Moulinvert et, selon moi, ils continueront tant qu'ils n'auront pas mis la main sur la pierre ancestrale du Guibök, l'objet de leur convoitise, précisa Gaël sur un ton grave.

— Non! Je refuse de la leur donner! s'objecta Will avec force. Puis-je vous rappeler que cette pierre ne doit jamais tomber entre de mauvaises mains. Le vénérable Kiröd m'a mis en garde à ce sujet. Vous avez vu ce qui s'est produit lorsque Tom McMillan s'en est emparé!

Furibond, Will se mit à faire les cent pas, tel un lion en cage, en marmottant pour lui-même.

— Calme-toi Will! Il n'est peut-être pas trop tard. Nous pouvons certainement tenter quelque chose pour les empêcher de faire trop de dégâts, intervint Catherine tentant d'apaiser son fougueux compagnon.

Mais Will, qui songeait à tous ses plans d'avenir compromis une fois de plus, fulminait, le cœur rempli d'amertume.

— Catherine a raison Will, la colère n'est jamais bonne conseillère, approuva Gaël.

Kündo qui était demeuré silencieux jusque-là demanda :

— Mais Gaël! Pourquoi n'ont-ils pas encore attaqué Mont-Bleu?

— Comme je vous l'ai dit déjà, ces créatures malveillantes dotées d'une intelligence supérieure savent très bien que Will, aussi appelé L'ÉLU par les initiés, représente pour eux une réelle menace, car lui seul peut contrecarrer leurs plans diaboliques. Sachant cela, ces monstres ne prendront pas le risque d'attaquer Will directement, mais tenteront plutôt de l'attirer dans leurs pièges, car je ne vous cacherai pas qu'il y en aura, déplora Gaël.

Après les dernières paroles du messager, un lourd silence s'installa, qui perdura un moment. Résigné, Will déclara d'une voix calme mais résolue :

— Puisque j'ai été choisi pour cette tâche, je ferai tout en mon pouvoir pour secourir ces pauvres gens, quoi qu'il arrive ! C'est mon destin et je l'accepte.

En espérant qu'il ne soit pas trop tard...

Prêt à foncer chez lui pour ramasser un sac de provisions et quitter Mont-Bleu sur-le-champ, Will se fit bloquer le passage par Gaël.

— Will, mon ami... Avant d'entreprendre cette quête des plus périlleuses, tu dois savoir ce qui t'attend là-bas. Ces mutants venus d'une autre dimension ont des pouvoirs qui dépassent tout ce que tu as eu à affronter jusqu'à présent. C'est pourquoi le Grand Esprit, reconnaissant pour tout ce que tu as fait jusqu'ici par pur altruisme, a décidé de te faire don d'un nouveau et prodigieux pouvoir. Ce dernier qui sommeille en toi depuis ta rencontre en rêve avec l'Être de Lumière, se révélera en temps opportun. Pour t'aider dans cette nouvelle tâche, tu pourras bénéficier de la protection de l'épée divine aussi longtemps qu'il le faudra.

Gaël s'arrêta un moment pour fixer son protégé avec intensité, puis reprit :

— Will, comme tu auras grand besoin de toute l'aide possible, j'ai décidé, de mon propre chef, de rendre à Catherine son bracelet magique en prenant soin d'en augmenter les pouvoirs.

— Il est hors de question que Catherine soit mêlée à tout ça! s'objecta Will.

— Et pour moi? demanda Kündo qui ne sentait plus son corps tant les picotements qui le clouaient sur place étaient intenses.

Gaël, résolu d'aller au bout de ce qu'il avait à dire, fit un signe de la main à Will l'invitant à la patience et poursuivit en s'adressant à Kündo:

— Puisque ce monde n'est pas celui d'où tu viens, tu as le choix de te joindre à eux ou de refuser. Si tu acceptes, tes pouvoirs de transformation te seront rendus et même augmentés pour le temps que durera cette mission. Toutefois, je ne peux t'assurer que tu recouvreras ton apparence humaine au cours de l'une de ces transformations. Comme je ne peux vous assurer que vous sortirez vivants de cette terrible épreuve. Sache que si tous les habitants de cette planète devaient disparaître, tu réintégrerais automatiquement ton univers, mort ou vif. Il en est ainsi...

Pour une rare fois, le divin messager affichait un visage triste. Même l'habituelle aura blanchâtre qui le caractérisait se teinta soudain de gris.

— Suffit Gaël! Par respect pour toi et pour l'amitié qui nous lie, je t'ai laissé aller au bout de ta pensée. Maintenant à moi de parler! Croyais-tu sincèrement que j'approuverais l'idée de mettre la vie de Catherine et de Kündo en danger? Je veux que cela soit bien clair. J'irai seul et ferai tout ce qui est en mon pouvoir pour enrayer cette invasion barbare, et ce, peu importe son origine! décréta Will avec aplomb.

— Ah, ça non! Je ne te laisserai pas aller affronter seul ces monstres! Que tu le veuilles ou non, je t'accompagne, riposta Catherine sur un ton qui lui rappela soudain la fougueuse princesse Arthélia.

— Mais, Catherine, tu n'y penses pas…!

— Laisse-moi terminer Will Ghündee. Tu sembles oublier qu'il s'agit aussi du monde dans lequel je vis. Alors, je serai à tes côtés, ne t'en déplaise! trancha Catherine, les yeux pétillants de conviction alors qu'un arc coloré parcourait le bracelet à son poignet.

— Moi aussi! renchérit Kündo dont les pupilles avaient revêtu les caractéristiques d'un félin. Ce n'est pas à toi de décider ce que nous devons faire ou ne pas faire. Les habitants de ce monde m'ont accueilli à bras ouverts et c'est mon devoir de me porter à leur défense!

Étonné par tant de conviction, Will sembla se résigner. Malgré son inquiétude, il accepta l'aide proposée par ceux à qui il tenait plus que tout. Comme pour sceller un pacte, ils joignirent leurs mains en signe de solidarité.

— Bien! Vous trois réunis constituez la clef que le Grand Esprit tend aux humains afin de sauver votre monde de l'extinction.

— Que le Très-Haut vous protège et vous donne la force de vaincre l'envahisseur! termina Gaël.

Il posa sa main sur celles des trois compagnons pour ensuite disparaître brusquement, leur soufflant une légère brise au visage…

5
LE SECRET DÉVOILÉ

Après le départ de Gaël, les trois amis demeurèrent un long moment silencieux, songeant à la périlleuse mission qui les attendait.

— Bon, assez traîné! décréta Will. Nous devons partir immédiatement! Ramassez des provisions pour au moins quatre jours, habillez-vous chaudement comme pour une longue randonnée et rejoignez-moi près du grand chêne au tronc creux à la sortie du village.

— Et nos parents dans tout ça, qu'est-ce qu'on leur dit? demanda Catherine.

— Rien. Ils ne doivent pas savoir. Croyez-moi, ils ne comprendraient pas et essaieraient de nous retenir. Ne vous inquiétez pas, je vais laisser un mot pour le vieux Rod. Il comprendra et préviendra les autres que nous avons décidé de partir quelques jours en excursion, termina Will qui arborait sa mine des jours sombres.

Plus tard cette nuit-là…

Alors qu'il affichait un mot sur la porte de la forge, Will fut interpellé par le vieux Rod qu'il croyait en train de roupiller confortablement dans son lit.

— Père ! Vous… ne dormez pas ?

— Will ! Où vas-tu encore ? En pleine nuit à part ça ! Et puisqu'on y est, dis-moi la véritable raison de ces absences inexpliquées au fil des ans ?

— Mais père… je ne peux pas ! Et même si je le faisais, vous ne me croiriez pas. Alors mieux vaut ne rien savoir. N'ayez crainte, je serai…

— Will ! coupa le vieux Rod. J'ai toujours su que tu n'étais pas un garçon comme les autres… Le jour où tu as soulevé cette lourde charrette pour me sauver d'une mort certaine, je me suis dit : « Ce petit n'est pas comme nous ! Il a quelque chose de surhumain. » Il y a aussi tous ces concours de force que tu remportes haut la main à chaque fois. Cela te semble si facile! Et ton incroyable adresse à manier l'épée. D'où te vient-elle?

— L'épée? fit Will interloqué. Mais comment savez-vous que je manie l'épée, père? Je ne…

— Will! l'interrompit à nouveau le vieux Rod. Je ne suis pas né de la dernière pluie. Je t'ai vu à deux reprises t'entraîner à manier l'épée, avec autant d'adresse que les meilleurs guerriers du prince Victor. Vas-tu enfin me dire qui tu es vraiment? Je pense que Dorothée et moi avons bien mérité de connaître la vérité, depuis tout ce temps.

— Père, bien que je sois votre fils adoptif, vous demeurez pour moi ma seule et unique famille puisque j'ai été privé de la mienne dès mon plus jeune âge. Pour ce qui est de mes dons spéciaux, hormis ma force physique que je tiens en partie de mon père, je vous mentirais si je vous disais que je suis né avec. Alors voilà! Je vais tout vous raconter, mais promettez-moi de ne rien dire à personne, surtout pas à tante Marie et, de grâce, ne cherchez pas à me retenir.

— D'accord mon gars, vas-y, je t'écoute, acquiesça à contrecœur le vieux forgeron.

Will lui fit alors le résumé de ses aventures, lui dévoilant l'origine de ses dons et de sa force prodigieuse décuplée au cours de ses aventures intemporelles. Il lui révéla la provenance du médicament qui lui avait sauvé la vie. Il dévoila tout au sujet de Kündo et lui mentionna sa participation et celle de Catherine dans certaines aventures intemporelles. Finalement, il lui décrivit la visite récente de Gaël venu les prévenir du danger imminent qui menaçait leur monde.

— Voilà père ! À présent, vous savez tout ! Maintenant, je dois absolument partir. Promettez-moi de garder le secret.

— Je te le promets fils, répliqua le vieux Rod encore bouleversé par tout ce qu'il venait d'apprendre.

— Une dernière chose. J'aimerais que vous rejoigniez Catherine et Kündo qui m'attendent près du grand chêne au tronc creux, à la sortie du village. Vous devez à tout prix les empêcher de me suivre ! C'est une question de vie ou de mort !

— Je m'en occupe… C'est promis! Nous reparlerons de tout ça à ton retour. Vas mon fils et que le Très-Haut te protège! lui répondit simplement le vieux Rod, profondément troublé.

Non sans émotion, Will serra son paternel dans ses bras et partit vers la direction opposée de celle où l'attendaient ses compagnons.

Quand l'aurore commença à poindre, Will, vêtu chaudement, son sac de provisions plein à ras bord, quitta Mont-Bleu en douce sans se retourner.

Il s'éloigna d'un pas décidé. On aurait dit un automate tant le rythme adopté était constant. Catherine et Kündo auraient eu grand-peine à le suivre s'ils avaient été avec lui.

Il est impératif que je parcoure chaque jour une bonne distance si je veux empêcher un autre enlèvement comme celui qu'ont subi les habitants de Moulinvert… Tout de même, je me demande bien pourquoi ils ont choisi mon village natal pour attaquer. Mais bien sûr! Que je suis bête! Tout part de là! Ils tentent de me miner le moral afin de m'affaiblir et de me pousser à commettre des erreurs pour ensuite me capturer et prendre la pierre du Guibök. Ils savent que je partirai à leur recherche. C'est évident.

Will dont l'esprit de déduction fonctionnait à plein régime s'arrêta un moment pour admirer le lever du soleil et scruter l'horizon.

Qui sait ? Ils ont peut-être laissé à Moulinvert des indices qui me permettront de les retrouver et de les surprendre avant qu'ils ne détectent ma présence...

Après avoir fait le plein d'énergie, Will reprit la route. Au terme d'une journée et demie de marche intensive, il arriva aux abords d'une vaste forêt qu'il reconnut.

Au-dessus de lui, un aigle survolait le territoire en quête de nourriture.

Figé comme une statue de plâtre, Will contempla le vol gracieux du grand rapace, puis son regard se porta sur la vaste étendue verdoyante qui s'étalait devant lui. Le temps d'un flash, il se revit à quatorze ans fuyant la vie misérable qu'il menait chez le méprisable oncle Tom. Tout avait commencé par cette fugue. Après sa fuite, sa vie n'avait plus jamais été la même. Puis, il esquissa un sourire. La vue de cette forêt lui remit en mémoire sa rencontre inoubliable avec son fidèle et attachant compagnon Arouk qui le suivait partout.

À cet instant retentit une voix douce comme le vent.

— Will, mon amiiiiii... Qu'as-tu faaaaaait?

— Gaël! C'est toi? Tu me suis? Allez! Montre-toi! Je sais que tu es là.

— Will, pourquoi t'es-tu défilé sans rien dire à Catherine et Kündo? questionna le messager du Grand Esprit alors que son image corporelle se précisait.

— Parce qu'il n'est pas question qu'ils soient mêlés à tout ça! Gaël... Je sais que tu ne m'as pas tout dit à propos de cette nouvelle tâche et des dangers qui nous guettent. L'unique coupable de cette catastrophe c'est moi, et je n'entends pas mettre en péril la vie d'innocents. Si quelqu'un doit payer le prix, c'est moi, et seulement moi!

— Nous y voilà! Tu crois vraiment être l'unique coupable de tout ce qui arrive aujourd'hui. Will, je peux te rassurer là-dessus. Personne ne pouvait prévoir ce fléau qui vous menace actuellement et je te rappelle que la décision fut prise tout d'abord par nous et non par toi. C'est nous, les êtres célestes, qui avons sollicité ton aide. Cesse donc de te culpabiliser. Ce serait plutôt nous qui te sommes redevables pour tout ce que tu as fait. C'est donc à nous maintenant de faire tout ce qui est en notre pouvoir pour te faciliter les choses dans cette nouvelle épreuve. S'il y a eu une erreur de commise, c'est strictement un concours de circonstances. Rien de plus. Quant au danger de cette nouvelle tâche, c'est exact, je n'ai pas voulu vous effrayer inutilement et risquer de miner votre confiance si importante en pareil moment, avoua Gaël.

— Donc, j'avais bien raison de tenir Catherine et Kündo à l'écart... Je m'en serais voulu s'il leur était arrivé quelque chose de fâcheux. Maintenant Gaël si tu n'as pas autre chose d'important à me dire, tu vas m'excuser, car je dois aller d'urgence à Moulinvert.

— Oui. Il y a une chose très importante que j'ai volontairement omis de te dire par crainte d'ébranler ta confiance, Will...

— Je ne crains rien ni personne ! s'exclama Will avec du feu dans les yeux. Comme tu sais, mes ennemis je les ai vaincus l'un après l'autre à force de courage et de détermination. Alors parle mon ami, je t'écoute. Rien de ce que tu pourras me dire ne saurait m'ébranler.

6

UNE ALLIANCE OBSCURE

Gaël marqua une pause, fixa Will dans les yeux, puis reprit avec sérieux:

— D'accord! Si c'est ce que tu veux. Voilà! Tu sauras tout au sujet du malheureux concours de circonstances qui a permis à ces envahisseurs d'arriver jusqu'à votre monde. Les mutants dont je t'ai parlé… ils ne sont pas venus seuls pour vous envahir. Ils ont hélas pactisé avec un de tes anciens ennemis qui s'est juré d'avoir ta peau.

— Et ensuite…, l'encouragea Will qui buvait les paroles de Gaël.

— Tu me vois désolé de t'annoncer ceci Will, mais lorsque nous avons appris que ces êtres malsains se dirigeaient vers votre monde, nous avons tout mis en œuvre afin d'effacer le tracé lumineux appelé « porte des univers » reliant ton monde au reste de la création. Nous croyions avoir réussi, malheureusement, je me rends compte aujourd'hui que notre intervention tardive a contraint ces envahisseurs à faire escale contre leur gré dans un autre univers que tu connais bien, faute de pouvoir atteindre le vôtre. Je ne sais par quel mystère, ils ont formé une alliance obscure avec leurs nouveaux hôtes. Ceux-ci leur ont alors permis de transiter par le passage intemporel afin de compléter leur funeste mission et subtiliser la pierre du Guibök pour assouvir leurs plans malsains.

— Le passage intemporel! répéta Will subjugué alors que de vieux souvenirs, qu'ils croyaient oubliés, refaisaient surface.

— Eh, oui! Celui-là même que tu as utilisé après avoir échappé à l'antre des Maltïtes. Je te laisse deviner la suite…, laissa tomber Gaël.

— Non! Pas Melgrâne le redoutable et ses Mirgödes! lâcha Will abasourdi.

— Si! Malheureusement! Le grand inquisiteur est de retour et réclame vengeance pour l'affront que tu lui as fait lors de ton incursion chez eux. Il est prêt à tout pour se venger. Il veut te dépouiller de tout ce qui est important à tes yeux, même si, pour cela, il devait s'allier à un peuple plus dangereux que le sien. Ce n'est pas la pierre du Guibök qui intéresse Melgrâne, mais bien toi ! Et il n'aura de cesse que lorsqu'il aura eu sa revanche. Tu me vois désolé de te révéler cela Will. Si seulement je pouvais t'aider davantage, je le ferais... Hélas, il ne m'est pas permis d'interférer, car c'est votre destinée qui s'écrit aujourd'hui, et seul un humain peut sauver la race humaine de l'extinction.

« L'idée de s'en prendre aux habitants de mon village natal vient sans aucun doute de Melgrâne... », songea Will.

— C'est exact ! approuva Gaël qui lisait sans difficulté dans les pensées de son protégé.

— Merci pour ta franchise, Gaël ! répondit Will qui fixait droit devant lui, le regard vide d'émotion.

— Will..., reprit Gaël avec solennité, si tu parviens à contrecarrer leur plan, ce que je souhaite de tout cœur, ce n'est pas seulement ton monde que tu sauveras, mais tous ceux que ces êtres méprisables convoitent. Je ne te cacherai pas que cette mission est terriblement dangereuse. Soit tu en sors vivant, soit tu échoues et ton monde ainsi que plusieurs autres seront détruits, termina Gaël en posant sur son protégé un regard plein de tristesse.

Après un court silence empreint de solennité, Will conclut d'une voix apparemment neutre :

— La tâche n'en sera que plus exigeante... Tu m'excuses Gaël, mais je dois repartir et traverser la forêt si je veux atteindre Moulinvert au plus vite.

— Will ! Une dernière chose. En cas de besoin, n'hésite pas à te servir de la pierre du Guibök. En de rares exceptions, elle peut téléporter son possesseur d'un point à un autre sans changer d'univers. Mais... un conseil, n'en abuse pas ! Tu pourrais le regretter... Que le Grand Esprit guide tes pas et te protège, mon ami ! Mes pensées t'accompagnent, assura Gaël avant de disparaître.

Sur ces paroles d'encouragement, Will s'enfonça résolument dans les bois obscurs. Il marcha d'un pas lourd, perdu dans ses pensées, en ressassant les dernières paroles de Gaël au sujet de Melgrâne. Son ennemi juré était de retour et réclamait vengeance.

Cette seule pensée suffit à lui donner des frissons dans le dos. Il savait d'ores et déjà que ce serait un combat extrêmement difficile et que cette aventure ne pouvait se solder que par un dénouement funeste. Il se félicita d'autant d'avoir semé Catherine et Kündo.

Comme une sorte de pèlerinage, Will marcha en silence durant une longue période s'arrêtant par moment pour humer les arômes de la forêt, sachant très bien qu'en ces lieux, aucun danger ne le menaçait. Enfin… pour le moment, se disait-il.

Patience! J'en ai au moins pour deux jours avant d'atteindre la contrée.

Quand la pénombre commença à s'installer, Will décida de s'arrêter pour la nuit. Comme il avait l'habitude de le faire, il se mit à couper machinalement, avec son épée, des branches de conifères pour se construire un abri de fortune.

Occupé à dégarnir le bas d'un gros arbre Will ne put s'empêcher de penser à Catherine qui lui manquait déjà. Perdu dans ses pensées, une vive brûlure au niveau du thorax le sortit brusquement de ses rêveries.

— Aie! Saleté de bestiole! Mais… qu'est-ce que c'est?

Sur le moment, croyant avoir été piqué par un insecte, Will eut le réflexe d'ouvrir le col de sa chemise. Étonné, il vit plutôt une douce lueur émaner de la pierre de la Déesse, toujours accrochée à son cou.

Eh bien! Cela fait une éternité que tu ne t'es pas manifestée toi! Que me vaut cet honneur?

Alors qu'il tenait son pendentif entre ses doigts, il entendit, résonnant autour de lui, une voix immatérielle, d'une douceur infinie.

— Wiiilll, mon enfant, la voie que tu as choisiiie est loin d'être faciiiiile… Mais combien gratifiante sera ta récompense si tu parviens à tes fiiiins…

Semblable au vent qui souffle à travers les branches des majestueux conifères, la voix mystérieuse eut sur lui un effet apaisant.

— Déesse Aurora! C'est bien vous? demanda Will.

— Quoi qu'il puisse survenir, Willllll… ne perds jamais espoir, caaaarrrrr derrière l'épreuve se cache souvent le saluuuuuut…

— Je ne comprends pas ce que vous voulez dire, s'écria Will.

— Bientôt, très bientôôôt… tu auras un choix déchirant à faaaaaire… Alors seulement, tu comprendraaaaaaas…

— Attendez! Ne partez pas! Revenez! Je ne comprends toujours pas ce que vous essayez de me dire! insista Will en relâchant sa prise sur la pierre divine encore chaude.

Le fabuleux caillou avait perdu de sa luminosité, mais Will, toujours intrigué par ce qu'il venait d'entendre, continuait de fixer la précieuse gemme comme si elle pouvait donner un sens aux paroles qu'il venait d'entendre.

Las de se questionner, il termina la confection de son abri. Après un repas rationné, il s'allongea sur les branchages qui lui servaient de paillasse. Épuisé par cette longue journée de marche, il s'endormit en ressassant les paroles prononcées par la déesse Aurora qui résonnaient encore dans sa tête…

7

UN POUVOIR INSOUPÇONNÉ

À des kilomètres de là, alors que Will se préparait pour une courte nuit de repos…

— Catherine, tu sais où tu vas au moins, râla Kündo impatient. Grrr! Cela fait deux jours que nous marchons et toujours pas de trace de Will.

— Sois patient Kündo. Nous le retrouverons, répondit Catherine avec assurance tout en admirant le coucher du soleil qui lui rappelait les doux moments passés avec son bien-aimé.

— Mais, comment peux-tu être sûre que nous ne faisons pas fausse route?

— Parce que je le sens ici, soupira Catherine en pointant son cœur. J'ai l'intuition qu'il n'est pas loin. J'arrive même à sentir sa présence, précisa-t-elle à l'intention de Kündo qui la regardait, déconcerté.

Après un moment de silence passé à fixer l'horizon, Catherine, la larme à l'œil, murmura :

— Will mon amour… qu'est-ce que je donnerais pour être à tes côtés en ce moment !

À cet instant, le bracelet de Catherine, jusque-là inactif, sembla capter ses pensées et se mit à briller doucement.

— Oh ! Tu as vu ton bracelet ! s'émerveilla Kündo en pointant le bijou qui scintillait à son poignet. On dirait qu'il réagit à ce que tu as murmuré.

— Comme c'est étrange ! fit Catherine en se rapprochant de Kündo pour lui montrer le bijou qui irradiait fortement.

Soudain, un rayon lumineux s'en échappa les enveloppant d'une boule de lumière. Le décor autour d'eux commença à devenir flou et leur vision se troubla. Tout à coup, les deux voyageurs affolés disparurent dans un cri :

— AAAAAAAAAh ! Que se passe-t-iiiiiiiil ?

* * *

Will, profondément endormi, rêvait de Catherine et de sa vie paisible à Mont-Bleu lorsqu'il fut tiré de son sommeil par le cri rauque d'un rapace qui tournoyait au-dessus de son abri.

— Hé, l'oiseau, tu me suis ou quoi? marmonnat-il en étirant les bras vers le ciel pour se dégourdir.

Bon, assez traîné! En route Will Ghündee! Chaque minute est précieuse!

Après six heures de marche intense et quelques galettes en moins, Will vit avec soulagement une clairière se dessiner devant lui, annonçant la fin de son long périple en forêt. Une nouvelle étape débutait à travers monts et vallées.

Finalement, au terme d'un périple de quatre jours…

— Moulinvert! Enfin te voilà! Ce n'est pas trop tôt! s'exclama-t-il en voyant apparaître le clocher d'une petite chapelle à l'horizon.

Encouragé par le peu de distance qui lui restait à parcourir pour atteindre le faubourg, Will entreprit la dernière étape de son itinéraire qui devait le conduire au premier relais indiqué par Gaël. Une demi-heure plus tard, il arrivait aux portes du petit temple. Construit en retrait du village, ce dernier trônait au sommet d'une colline, tel un phare indiquant la voie aux navires.

— L'endroit me semble désert, conclut Will après avoir martelé longuement les grandes portes de bois massif dans l'espoir de voir apparaître un visage amical.

Personne! Allons voir ce que ça dit au village.

Avec encore en mémoire les propos de Gaël, Will, sur ses gardes, se dirigea vers la place centrale.

À son arrivée, il constata avec déception que celle-ci avait été désertée.

Il n'y pas âme qui vive ici! Gaël avait bien raison...

— Hum… ça n'a rien de rassurant, marmonna Will attentif au moindre craquement.

Silencieux, il avança, l'arme au poing, scrutant chaque maison et chaque allée en quête d'indices, prêt à toute éventualité. Soudain, il sentit une présence derrière lui. Il se retourna rapidement vers sa gauche, mais ne vit rien.

Étrange... j'aurais juré qu'on m'observait... Bof, sans doute mon imagination.

Sans trop savoir pourquoi, Will fut irrésistiblement attiré par l'une des maisons. Elle était blanche et arborait de jolis volets verts. En la voyant, il resta figé devant, tandis qu'un étrange bourdonnement se faisait entendre. Comme s'il était sous l'effet d'un champ magnétique qui dirigeait ses pas contre son gré, il sentit soudain sa démarche devenir plus lourde.

— Mais... je connais cet endroit ! C'est la maison où je suis né ! lâcha Will, estomaqué.

Irrésistiblement attiré par le bâtiment, il se mit à avancer vers lui de façon erratique, tel un zombi, son épée pendouillant à sa main droite...

« Wrah ! Wrah ! »

Au moment même où il allait franchir les limites du terrain, le cri strident d'un aigle royal, en plongé au-dessus de sa tête, eut sur lui l'effet d'un coup de fouet. Il sortit brusquement de sa transe hypnotique, interrompant du coup le champ magnétique qui l'entourait.

Grand Dieu! Mais... que m'est-il arrivé? Durant un moment, j'ai perdu contact avec la réalité et me suis retrouvé plongé dans mon passé, lorsque j'avais quatre ans. C'est incroyable comme tout semblait réel! C'est bel et bien un piège puisque cette maison n'existe plus...

Tandis que la maison de son enfance disparaissait dans une sorte de brouillard, Will repéra sur le sol un étrange objet métallique lumineux en forme d'araignée. L'énigmatique engin avait la taille d'un crabe. Ses pattes étaient recouvertes de multiples ventouses qui laissaient échapper un rai lumineux, rouge vif. Intrigué, Will s'avança vers cette chose insolite, son épée pointée devant lui quand, tout à coup, son arme laissa échapper un rayon bleuté.

« Voummmm ! »

Le rayon protecteur venait de percuter une paroi demeurée jusque-là invisible. Un coup d'épée suffit à Will pour faire apparaître en une fraction de seconde une cage transparente d'environ trois mètres carrés. Les parois furent aussitôt parcourues par des milliers de petits éclats lumineux comme le ferait une cloison électrifiée.

Alors qu'il était occupé à examiner l'objet insolite reposant au milieu de la prison de verre, celui-ci émit soudain un son étrange qui fit disparaître les parois translucides. Méfiant Will recula d'un pas de peur de tomber dans un piège. Mais, sa curiosité l'emporta et il décida de s'approcher du petit engin.

Avant qu'il puisse le toucher avec la pointe de son épée, celui-ci émit un son étrange, suivi de plusieurs cliquetis. En une fraction de seconde, ses multiples pattes aux ventouses lumineuses se rétractèrent dans le boîtier métallique de forme sphérique. Puis, avec un sifflement aigu, l'engin s'envola brusquement très haut dans le ciel et disparut rapidement derrière les nuages, laissant Will abasourdi par l'étrange expérience qu'il venait de vivre.

Wow! Je parierais que c'est ce qui est à l'origine de cette illusion d'optique! Trop fort ces mutants! Il me faudra être vigilant... Je n'ose penser à ce qui serait arrivé si par mégarde je m'étais retrouvé prisonnier de cette cage de verre! Ils n'auraient eu qu'à venir me cueillir...

— Hé l'oiseau! Merci! Tu m'as sauvé la peau! Sans toi je crois bien que je serais tombé dans ce traquenard, s'écria Will à l'intention du providentiel volatile, toujours en vol, qui lâcha, en guise de réponse, un cri retentissant pour ensuite disparaître lui aussi dans les nuages.

Que je suis bête de ne pas y avoir pensé plus tôt! Cette maison n'existe plus depuis très longtemps... Elle a été brûlée avec tout son contenu alors que je n'étais encore qu'un gamin. C'était bel et bien un piège astucieux... Mais, comment arrivent-ils à créer de telles illusions ? Je devrai être très prudent à l'avenir, car leurs pouvoirs semblent prodigieux, comme le disait Gaël.

* * *

Alors qu'il se remettait de cette expérience troublante, Will fut interpellé par deux voix familières qui montèrent derrière lui :

— Will ! Enfin te voilà !

— Catherine ! Kündo ! Mais... que faites-vous ici ? fit Will, interloqué.

« Je croyais pourtant les avoir semés ! » pensa-t-il tout en serrant sa bien-aimée et Kündo dans ses bras, heureux malgré tout de les savoir sains et saufs.

— C'est grâce au bracelet de Gaël, précisa Kündo.

— Quoi ! fit Will intrigué. Je ne comprends pas. Explique-moi... comment avez-vous fait pour me rattraper. Peu de gens auraient pu tenir la cadence au rythme où je progressais.

— Simple! Pour te retrouver, elle a utilisé le bracelet de Gaël comme une sorte de miroir de sa pensée, révéla Kündo.

— Un miroir de sa pensée? reprit Will intrigué.

— Eh bien! Voilà! Lorsque j'ai vu le vieux Rod s'amener vers nous dans la pénombre, l'autre soir, j'ai tout de suite compris que tu nous avais posé un lapin et que tu t'étais éclipsé en douce pour éviter de nous mettre en danger. Ne sachant quelle direction prendre pour te rejoindre, nous avons marché vers l'est durant deux jours sans jamais trouver trace de ton passage. Découragés, nous étions sur le point d'abandonner lorsque j'ai entendu la voix de Gaël résonner dans mon cœur, déclara Catherine en regardant Will. Il me rappelait que certains pouvoirs du bracelet étaient étroitement liés à mes sentiments. Puis, sa voix s'est tue et je suis sortie de ma torpeur. J'ai bien essayé de comprendre le sens de ses paroles, mais en vain. Ça demeurait un véritablement mystère pour moi. Je savais que je ne devais pas renoncer et que Gaël me lançait un message. Puis, alors que je fixais le coucher de soleil en me rappelant nos doux moments dans la forêt de Mont-Bleu, le phénomène s'est produit…

— Quel phénomène! coupa Will qui brûlait d'en savoir d'avantage.

— Quelque chose d'inusité, répondit Catherine. J'ai souhaité de tout cœur être à tes côtés avec Kündo. Du coup, le bracelet a réagi comme s'il avait capté mon désir et s'est immédiatement mis à briller. C'est alors qu'une lueur multicolore nous a submergés et en une fraction de seconde, nous avons été aspirés pour réapparaître ensuite dans une immense forêt.

— Wow! dit Will qui n'avait manqué aucun détail du récit de Catherine. Mais, qu'avez-vous fait par la suite.

— Comme nous étions fatigués et que le jour tombait, nous nous sommes abrités pour la nuit. Au lever du soleil, nous avons repris la route et, chemin faisant, nous sommes tombés sur un abri. J'ai su alors que nous étions sur la bonne voie. Finalement, nous avons abouti dans une grande clairière parsemée de collines verdoyantes. Nous avons marché durant de longues heures et avons gravi l'une d'entre elles. C'est là que j'ai aperçu au loin le clocher d'une chapelle vers laquelle nous nous sommes dirigés. Une fois ce point de repère atteint, nous t'avons aperçu déambulant sur la place centrale du village, termina Catherine, l'air satisfaite.

— Eh bien..., marmonna Will en examinant le fameux bracelet fixé au poignet de Catherine. Tout ça ne faisait pas partie de mes plans...

— Nous sommes là et tu devras faire avec, frangin! décréta Kündo en esquissant un clin d'œil complice en direction de Catherine.

— Bien! Mais en cas de pépin, vous devez me promettre de rester derrière moi. S'il devait vous arriver quelque chose de grave, je ne me le pardonnerais jamais, termina Will.

— Avec le bracelet de Catherine et ton épée magique, ces saletés de mutants n'ont qu'à bien se tenir, fanfaronna Kündo en bombant le torse.

— Ne soyons pas trop confiants. Vous vous rappelez ce que Gaël nous a dit à propos de ces créatures et de leurs redoutables pouvoirs?

— Oui, acquiescèrent ses amis, intrigués.

— Eh bien! Je viens d'en expérimenter les effets dangereux! dit Will en leur résumant son expérience inusitée qu'il venait de vivre avec ce qu'il appelait « la boîte à mirages ».

— Oh là là ! Tu l'as dit, ils sont forts ces mutants ! s'exclama Kündo tandis que Catherine demeurait songeuse les yeux rivés sur son bracelet.

— Ça va, Catherine ? demanda Will.

— Oui, oui, répondit cette dernière d'un air évasif, comme si soudain elle avait un mauvais pressentiment.

Catherine ressassait les dernières paroles de Will en scrutant son bijou, l'air songeur.

— Bien ! Avec un peu de chance, nous arriverons à les réexpédier d'où ils sont venus et, du coup, à trouver le moyen de fermer cette satanée brèche, conclut Will en reprenant son inspection, ses nouveaux alliés sur les talons.

8

LA PROPHÉTIE
DU CHEVALIER BLANC

Dans le village, Will, en quête d'indices, vit de nombreuses traces de brûlures sur le sol. En levant les yeux, son regard se porta sur les multiples trous qui défiguraient la toiture de certaines maisons.

Comme c'est étrange... On dirait que la foudre a frappé à plusieurs reprises à des endroits différents... Jamais vu pareil phénomène auparavant !

Alors qu'il examinait le sol, Will se sentit soudain épié. En se retournant, à la vitesse de l'éclair, il aperçut brièvement, deux silhouettes qui disparurent aussitôt derrière un gros chêne, aux abords du village.

— Nous ne sommes pas seuls ! chuchota Will à l'intention de ses compagnons avant de se lancer à toute vitesse en direction du grand arbre, suivi de Catherine et Kündo.

Hum... Cela expliquerait la mystérieuse sensation d'être observé que j'ai sentie à mon arrivée...

— Qui va là ? cria Will. Montrez-vous ! Nous ne vous ferons aucun mal.

Aussitôt, les deux petites silhouettes, vêtues de haillons, décampèrent au pas de course, agrippées l'une à l'autre, pour ensuite s'évaporer dans la nature.

Alors que Will et Catherine inspectaient en silence le bosquet et les alentours, Kündo se joignit à eux et se mit lui aussi à la recherche d'indices. Au bout d'un moment, il repéra un curieux carré d'herbes jaunâtres qui contrastait avec le reste de la végétation.

— Psssttt ! fit-il à l'intention de Will, tout en pointant le sol de son index.

Will s'approcha lentement, sur la pointe des pieds, l'épée à la main. Il repéra le fameux carré d'herbes fanées qui ressemblait à une trappe que l'on aurait voulu dissimuler. Il posa son index sur ses lèvres, pour demander à ses compagnons de rester silencieux. Puis, avec précaution, il repoussa la végétation du bout de sa lame et découvrit une poignée en corde tressée. Il l'attrapa et, d'un geste sec, il souleva le panneau de bois recouvert d'herbage. À son grand étonnement, il découvrit, serrées l'une contre l'autre, deux femmes terrifiées qui le regardaient avec de grands yeux.

— Pitié! Ne nous tuez pas! Prenez-moi, mais épargnez ma fille! plaida la plus âgée des deux.

Elle avait des cheveux hirsutes et sur ses joues noircies les larmes avaient laissé des sillons blanchâtres.

— Oh! Du calme, madame, la rassura Will, tout en remettant son épée au fourreau. Personne ici ne vous veut du mal. Nous sommes venus en amis.

En lui tendant une main amicale, il l'invita à sortir de sa cachette.

Après quelques instants passés à détailler les nouveaux venus, et bien que craintive encore, la fugitive tendit une main hésitante vers son interlocuteur, acceptant de remonter à l'air libre.

Intrigué, Will se mit à questionner la plus âgée des fugitives.

— Qui êtes-vous ? demanda-t-il d'une voix posée pour ne pas l'effrayer.

— Je m'appelle Gabrielle et voici ma fille Dirla. Elle ne peut vous entendre, car elle est sourde de naissance, répondit-elle d'une voix inquiète.

— Habitez-vous Moulinvert ? Savez-vous ce qui s'est passé ici ? interrogea Will.

— Moulinvert est notre village... Nous y vivions paisiblement avant que ces monstres ne le détruisent et exterminent tous les habitants.

— Mais, Gabrielle, par quel miracle avez-vous pu échapper à ces monstres, comme vous les appelez ? intervint Catherine.

La fugitive reprit son souffle et se lança dans le récit de ce qui s'était passé...

— Le jour funeste où ils ont attaqué notre village, ma fille et moi étions parties cueillir de l'ail des bois dans le bosquet des Patriarches. Sur le chemin du retour, le destin a voulu que nous soyons témoins d'un horrible spectacle.

Bouleversée, Gabrielle s'arrêta de parler durant quelques secondes. Ses yeux s'emplirent de larmes au souvenir de ce qu'elle avait vu. Puis, d'une voix tremblotante, elle continua son récit.

— Les villageois ont tous été foudroyés par les éclairs crachés par le ciel rougeoyant. Leurs cris de terreur résonnent encore à mes oreilles. C'était affreux! Mes parents, mes amis ainsi que mon mari et tous ceux que nous connaissions, ont disparu sous nos yeux, frappés par la maléfique lumière s'échappant de cette horrible chose dans les nuages... Prises de panique, ma fille et moi avons fui le village, mais avant de nous éloigner j'ai eu le temps de voir brièvement trois de ces créatures sortir d'un étrange objet volant fait de métal luisant. Croyez-moi, ils n'ont rien d'humain. Ils ont descendu de leur vaisseau et inspecté le village pour s'assurer qu'il ne restait plus aucun habitant, termina la survivante d'une voix tremblante.

Catherine posa sur son épaule une main compatissante.

— Sont-ils revenus depuis ce jour fatidique? demanda Will.

— Plusieurs fois! Mais, depuis quelques jours, le village est désert. Nous sommes désemparées et ne savons que faire ni où aller. Nous craignons continuellement d'être repérées et éliminées à notre tour... Mais vous, jeune homme, qui êtes-vous et que venez-vous faire à Moulinvert? C'est très dangereux de se trouver ici par les temps qui courent!

— Moulinvert est mon village natal. Je suis venu ici en ami pour vous aider et vous protéger des envahisseurs, reprit Will sur un ton rassurant.

— Votre village natal? Nous protéger? répéta la femme médusée comme si cela lui rappelait quelque chose.

Après un bref silence, durant lequel la fugitive dévisagea intensément Will et ses amis, elle reprit:

— Mais quel est votre nom?

— Will Ghündee!

— Will... Ghün... dee ! articula la femme, comme si elle avait peine à croire ce qu'elle entendait. Auriez-vous par hasard un lien de parenté avec la famille Ghündee? Ceux qui vivaient ici avant l'horrible drame qui les a frappés?

— Oui, répondit Will, soudain intéressé. Vous connaissiez mes parents?

— Hélas, non! Nous sommes arrivés deux ans après le drame. Mais, j'aurais bien aimé les connaître! Les villageois m'ont fait le récit de cette tragédie à mon arrivée. On m'a dit que c'était des gens bien, une famille très unie. On m'a parlé de l'incendie tragique qui a dévasté votre maison et du courage exceptionnel de votre père qui, selon certains villageois, aurait sauvé toute sa famille au prix de sa propre vie, se remémora la rescapée à laquelle s'agrippait toujours craintivement sa fille.

Après un court silence passé à dévisager Will, Gabrielle reprit:

— Il y a quelques années, une étrange prophétie fut annoncée par Marika, la sage-femme du village, prophétie dans laquelle il était question de la venue d'un chevalier blanc. Will… seriez-vous par hasard le fameux chevalier blanc?

Alors que Catherine et Kündo suivaient attentivement le fil de la conversation, Will, trop avide d'en apprendre davantage, ignora sa question et lui demanda:

— Pouvez-vous m'en dire un peu plus sur cette Marika et sa prophétie?

— Attendez un peu que je me souvienne… Il y a si longtemps déjà. Voilà, ça me revient maintenant. Alors que je la consultais pour les problèmes de santé de ma fille, une chose étrange s'est produite. Sans aucune raison apparente, Marika a eu une vision que je qualifierais d'apocalyptique. Elle s'est mise, tout à coup, à délirer devant moi. Elle avait les yeux révulsés et son corps était secoué de spasmes, comme si elle était en transe. On aurait dit qu'un esprit étranger s'était emparé d'elle. Sur le moment, j'ai eu très peur. Aujourd'hui encore ce souvenir me donne froid dans le dos. Au fil des ans, j'ai eu beau me répéter les paroles de cette étrange prophétie, je n'arrive toujours pas à en comprendre le sens. Mais, voilà tout ce que j'en ai retenu… Peut-être que cela vous sera utile…

Les yeux dans le vide, Gabrielle prononça ces dernières paroles dans un murmure, comme si elle leur livrait un grand secret :

— Un jour des envahisseurs viendront pour détruire notre village. Mais, cette douloureuse épreuve fera revenir parmi nous *l'enfant prodige*… C'est *le Chevalier blanc*. Vous le reconnaîtrez à ses origines. Il est en exil depuis longtemps et il reviendra parmi nous, car ici sont ses racines…

Puis, Gabrielle porta son regard sur l'étincelante épée accrochée à la ceinture de Will et lui demanda, les yeux pleins d'espoir :

— Will Ghündee ! Pour la deuxième fois… Êtes-vous le fameux chevalier blanc de la prophétie ?

— Je l'ignore, Gabrielle. Par contre, ce que je peux vous affirmer c'est que si ces monstres reviennent, je les attends de pied ferme, promit Will en posant sa main sur la hampe de son épée dont les pierres furent aussitôt traversées par un bref scintillement.

Tout en parlant, Will avait remarqué les taches de sang qui maculaient leurs haillons. Il les examina plus attentivement et remarqua qu'elles avaient des écorchures aux bras et aux jambes.

— Il va falloir nettoyer vos plaies pour éviter qu'elles ne s'infectent. Pendant ce temps, voici de quoi vous nourrir, ajouta-t-il en leur tendant deux galettes. Cela vous aidera à tenir le coup en attendant que nous trouvions de la nourriture.

Les fugitives rassasiées, ils pénétrèrent au cœur du village où ils découvrirent, dans une des maisons abandonnées, une armoire contenant des bandages et de quoi désinfecter leurs plaies. Sans plus attendre, Catherine commença à panser les blessures de Gabrielle tandis que Will et Kündo poursuivaient leur inspection en quête de nourriture et d'indices pouvant les aider à retrouver les ravisseurs.

Quelques minutes plus tard, voyant que Will et Kündo revenaient bredouilles de leur recherche, Gabrielle lui demanda d'une voix où perçait le désespoir :

— Will ! D'après vous, qu'en est-il de nos parents et amis disparus ? Ont-ils été désintégrés par les éclairs ou enlevés par les monstres ? Dans cette dernière hypothèse, croyez-vous pouvoir les retrouver ?

— J'y compte bien Gabrielle ! Mais, pour votre sécurité, vous devez fuir Moulinvert au plus vite.

Puis se tournant vers ses compagnons :

— Catherine ! Kündo ! Suivez-moi, nous devons les escorter en lieu sûr, hors du village.

Aussitôt, la petite troupe se dirigea vers les limites de Moulinvert. Tous suivaient Will qui marchait d'un pas résolu vers un endroit précis.

Arrivés au sommet d'une colline, il se tourna vers les survivantes et, en leur indiquant un sentier qui s'éloignait à perte de vue, il leur suggéra :

— Prenez cette direction et marchez sans vous arrêter. Lorsque vous arriverez au bout de ce chemin, vous verrez une forêt. Traversez-la. Les bois passés, vous devrez marcher encore pendant deux jours avant d'arriver à Mont-Bleu. C'est le village où je vis à présent. Il est situé à flanc de montage. Vous ne pouvez pas le manquer. C'est le seul endroit où vous serez en sécurité. Une fois là-bas, demandez à voir Rod Bigsby, l'ancien forgeron. Lorsque vous l'aurez rejoint, dites-lui que c'est moi qui vous envoie. Il vous hébergera et vous confiera aux bons soins du docteur MacBride, le père de mon amie Catherine, qui vous remettra sur pied, le temps de le dire.

— Merci à vous tous ! On ne vous remerciera jamais assez, répondit Gabrielle en faisant mine de partir.

— Oh ! Une dernière chose… Lorsque vous verrez le vieux Rod, pourriez-vous lui dire que nous allons bien, mes amis et moi, et qu'il ne doit pas s'inquiéter pour nous, termina Will.

— Je n'y manquerai pas Will. Vous nous avez sauvé la vie. Que le Très-Haut vous bénisse tous et vous protège des nombreux dangers qui vous guettent, termina la rescapée.

Puis, en jetant un dernier regard vers son sauveteur, elle prit la direction de Mont-Bleu, suivie de sa fille qui tenait, serrée contre elle, le petit baluchon renfermant les provisions données par ses bienfaiteurs.

9

LA PORTE NOIRE

De retour au village, Kündo désemparé s'exclama :

— Will ! Qu'allons-nous faire à présent ? Nous avons épuisé nos réserves de nourriture et nous ne savons même pas quelle direction prendre pour retrouver ces monstres. Non, mais ! Avoue que cette fois-ci ça risque d'être difficile !

— Ne t'inquiète pas, petit frère, tout ira bien ! répondit Will d'une voix calme en lui tendant une galette qu'il avait conservée dans un bout de tissu au fond de sa poche. Le Grand Esprit nous a guidés jusqu'à présent, alors continuons d'avoir confiance en lui.

— Tu as sans doute raison, acquiesça Kündo.

— Maintenant, j'ai besoin de réfléchir à tout ça. Reposez-vous ici quelques instants, leur conseilla-t-il en leur désignant un gros rocher à l'abri d'un majestueux conifère. Je n'en ai pas pour longtemps.

— Mais… Will! cria Kündo inquiet de le voir une fois de plus s'éclipser.

— Laisse-le, Kündo. Je le connais bien. Parfois, il a besoin de se retrouver seul dans sa bulle afin de faire le point, assura Catherine en retenant le bras de son petit compagnon.

Will, qui cherchait un moyen de retrouver les envahisseurs, se tenait debout à côté d'un bosquet de feuillus et scrutait l'horizon, l'air songeur. Alors qu'il réfléchissait intensément, une chaleur sur sa cuisse gauche le fit sursauter et, comme s'il venait d'avoir une illumination, il s'exclama:

— La pierre du Guibök! Mais bien sûr! Je l'avais oubliée. Elle renferme des pouvoirs et a sans doute un secret à me livrer. Vite! Voyons ce qu'il en est…

En plongeant sa main dans sa poche, Will sentit une étrange vibration émaner du gros caillou. Dès qu'il fut au creux de sa main, ce dernier se mit à briller faiblement.

Soudain, un petit écran lumineux apparut flottant au-dessus de sa paume. Hypnotisé, Will eut une étrange vision qui s'imposa à son esprit et le foudroya sur place. Instantanément, il se retrouva debout dans un vaste paysage inconnu. Rien n'était tangible, mais tout semblait si réel autour de lui. Captivé par le décor qui l'entourait, il ne chercha pas à comprendre le phénomène.

— Mais… où se trouve cet endroit ? Ça ne me dit rien. Allez montre-m'en d'avantage… murmura-t-il, captivé par le décor dans lequel il se trouvait.

Il eut à peine le temps d'aller au bout de sa pensée qu'il vit apparaître un étang situé en plein cœur d'une zone semi-désertique. Sur la berge, un gros rocher en forme de botte attira son attention. Puis soudain, au grand dam de Will, le décor qui l'entourait se dissipa et la pierre reprit son aspect habituel. Il secoua le caillou vigoureusement croyant pouvoir faire réapparaître de nouvelles images.

— Comme c'est étrange…, marmonna-t-il en se grattant la tête, l'air pensif. On dirait que la pierre veut m'indiquer l'endroit où je dois aller ?

Fatigués d'attendre le retour de Will, Kündo et Catherine rappliquèrent.

— Dis donc, Will… Tu comptes passer la nuit ici ? questionna Kündo. On en a marre de poiroter à t'attendre !

— Ma réflexion est terminée. Je crois savoir où nous devons aller. Mon intuition me dit que l'on devrait se diriger vers l'ouest. Venez !

— Mais, Will… Comment peux-tu en être si sûr, demanda Catherine.

— Faites-moi confiance ! Suivez-moi ! Mon instinct ne m'a jamais trahi jusqu'à présent.

Après deux heures de marche, ils virent une sorte de promontoire qui surplombait le paysage. Dans le but de se situer, Will, suivi de près par ses deux alliés, s'empressa de l'escalader. La main au-dessus des yeux, il scruta l'horizon à la recherche d'un repère qui pourrait l'aider à s'orienter.

— Will ! regarde là-bas, l'interpella Kündo qui, grâce à sa vision féline, avait remarqué, au loin entre les hautes herbes, une petite étendue d'eau noirâtre.

— Bravo Kündo! C'est peut-être ce que nous cherchons. Mais, avant de faire un pas de plus, je dois vous révéler une chose importante. Tandis que vous m'attendiez et que j'étais occupé à réfléchir à la direction à prendre, la pierre du Guibök s'est manifestée. Elle m'a fait voir un point d'eau situé en région désertique et bordé par un curieux rocher en forme de botte. J'ignore ce que cela signifie, mais je sens qu'il est impératif que nous trouvions cet endroit. Allons voir si cette vision s'avère exacte.

— On te suit! firent en chœur ses deux compagnons, encouragés par ce nouvel indice.

La petite troupe dut marcher encore une vingtaine de minutes avant d'atteindre l'espèce d'étang aperçu quelques minutes plus tôt. Une fois à proximité, ils constatèrent que la pièce d'eau était entourée d'herbes jaunies, parsemées de roseaux. À première vue, aucun rocher de forme bizarroïde ne semblait orner ses berges. Quant à la surface de l'eau, elle était d'un noir tel qu'il était impossible d'en déterminer la profondeur. L'aspect général des lieux semblait suspect et n'avait rien de rassurant.

L'absence de vie aquatique laissait croire que l'étang était contaminé, ce qui attisa la curiosité de

Catherine. Se baissant, elle ramassa un caillou et le lança dans l'eau.

« Vouvoummm »

Le caillou tomba, s'en émettre le « plouf » habituel, dans ce qui sembla être une nappe élastique. Au point d'impact, la surface de l'étang s'enfonça pour ensuite remonter et renvoyer le projectile sur la berge, comme un trampoline, sous le regard ébahi de Catherine.

— Vous avez vu ça ! s'écria-t-elle en lançant un deuxième caillou.

Le phénomène se répéta devant les yeux écarquillés de Will et de Kündo.

— Vous ne trouvez pas ça étrange ? dit-elle.

— Effectivement, tout cela est particulier, admit Will.

Intrigué au plus haut point, il ramassa une grosse pierre et la lança de toutes ses forces sur la mystérieuse surface noire dans l'espoir de la percer.

« Vouvouoummmm ! »

Avec un bruit fort et étrange, le gros projectile s'enfonça plus profondément que les précédents. La surface s'étira sur un plus grand périmètre pour, finalement expulser violemment la pierre sur la rive opposée où elle disparut derrière les hautes herbes. Mais, en bout de course, elle s'arrêta net contre un objet solide avec un bruit qui résonna longuement.

Intrigué, Kündo partit en courant et fit le tour du grand bassin. Une fois arrivé sur le lieu de l'impact, il découvrit un énorme rocher de forme insolite, dissimulé dans les roseaux.

— Hé! Venez voir! J'ai trouvé quelque chose qui pourrait vous intéresser.

Catherine et Will le rejoignirent au pas de course et se retrouvèrent devant ce qui semblait être une excroissance rocheuse en forme de botte.

— Bravo Kündo ! C'est bien l'endroit indiqué par la pierre du Guibök ! s'exclama Will, encouragé par cette découverte.

— Will… est-ce que tu penses à la même chose que moi ? fit Catherine qui lorgnait le mystérieux étang.

— Hé... pas bête ton idée ! répliqua Will qui, connaissant bien sa fidèle complice, avait compris son langage non verbal.

— Ohé ! J'existe toujours ? Vous pourriez me mettre au courant de votre grande découverte ? intervint Kündo un peu contrarié de ne pas saisir leur langage télépathique.

— Eh bien ! petit frère ! Catherine et moi croyons que cet étang, ou plutôt cette mystérieuse surface élastique, serait en réalité un leurre dont le seul but est de dissimuler quelque chose que l'on ne doit pas voir.

— Comme quoi par exemple ? fit Kündo intrigué au plus haut point.

— Comme l'entrée d'un repaire, répondirent d'une même voix Catherine et Will sur un ton signifiant que c'était l'évidence même.

— Oh! Vraiment! s'exclama Kündo. Si vous avez vu juste, cela signifie que ces monstres ont des pouvoirs qui dépassent l'imagination! Mais, dites-moi... Si ceci est le passage secret, comment allons-nous pouvoir y accéder? Vous avez bien vu que cette surface noire recrache tout ce qui essaie d'y pénétrer!

— Reculez-vous! Je vais tenter quelque chose.

Sceptiques, Catherine et Kündo, reculèrent de quelques pas. Will qui avait une confiance inébranlable en l'épée divine, dégaina son arme, l'empoigna fermement des deux mains, puis s'élança. D'un coup précis, il planta sa lame dans la surface récalcitrante, persuadé de pouvoir la percer.

« Vouvouoummmmmmmm! »

Aussitôt un bruit infernal leur vrilla les tympans durant plusieurs secondes.

Après quelques minutes à forcer de tout son être pour maintenir son arme en place, une myriade d'étincelles s'échappèrent de la hampe, coururent le long de la lame et terminèrent leur course sur toute l'étendue caoutchouteuse. D'un seul coup, l'épée s'enfonça dans la toile qui disparut instantanément, laissant apparaître un gouffre sans fond aux pieds de Will, qui fut aussitôt attiré vers l'avant par une mystérieuse force d'attraction.

— Aaaaaaaah ! Vite ! Retenez-moi ! Je glisse, s'écria Will qui tentait par tous les moyens de retrouver son équilibre.

— Tiens bon, Will ! lança Catherine en s'accrochant à son ceinturon avec l'énergie du désespoir.

Beaucoup plus légère que lui, Catherine se sentit à son tour entraînée vers le précipice. Ses pieds glissaient sur le sol sans pouvoir s'arrêter. Affolé à la vue de ses deux compagnons filant vers le gouffre, Kündo agrippa à son tour Catherine et se mit à tirer de toutes ses forces pour tenter de stopper leur chute.

Mais, ce fut peine perdue...

Malgré l'énergie déployée, l'attraction provenant du gouffre était trop forte. Ils continuèrent de glisser alors que la terre s'effritait sous leurs pieds.

Une fraction de seconde plus tard, une forte déflagration eut lieu et le sol se mit à vibrer. Une étrange lumière émanant de l'immense trou noir

remonta soudain vers eux à une vitesse vertigi-
neuse et un gros objet métallique ressemblant à un
vaisseau spatial fut propulsé très haut dans le ciel.

Déséquilibrés, les trois explorateurs tombèrent
dans le gouffre et furent happés par un rayon lumineux à l'intérieur duquel ils virevoltèrent comme
des pantins désarticulés.

Telle une énorme langue de reptile attirant tout
sur son passage, l'étrange lumière emprisonna nos
trois compagnons qui, impuissants, se sentirent
aspirés avec force vers le fond du gouffre.

Sous la violence du choc, Will, Catherine et
Kündo perdirent connaissance.

Quand, quelques instants plus tard, Kündo et
Will revinrent à eux, ils portèrent d'instinct les
mains à leurs oreilles assaillies par un fort bourdonnement et un bruit aigu qui leur vrillaient
les tympans.

— Ouille, ma tête! J'ai l'impression qu'elle va
éclater! se lamenta Kündo alors que Will essayait
de réanimer Catherine toujours inconsciente en lui
tapotant les joues.

Au bout de quelques secondes, Catherine ouvrit doucement les yeux.

— Où sommes-nous ? Que s'est-il passé ? Quel est ce bruit assourdissant ? questionna-t-elle en rafale.

— Je n'en ai aucune idée, répondit Will en l'aidant à se relever. On dirait bien que nous sommes tombés dans une sorte de gouffre menant au centre de la Terre.

Will inspecta brièvement l'endroit où ils avaient atterri en se demandant par quel miracle ils ne s'étaient pas broyé les os lors de l'atterrissage.

— C'est une vraie chance, on a rien de cassé ! dit-il en examinant de plus près leur point de chute. Si je me fie à l'élasticité de ce sol, notre glissade nous a amenés à un endroit qui n'a encore jamais été exploré par l'être humain. La texture de ce sol expliquerait le fait que nous n'ayons pas subi de blessures. Je ne vois pas d'autres explications.

— Et ce bruit, tu ne trouves pas ça étrange ? remarqua Catherine, apparemment satisfaite de cette explication. Oh ! Mais ça me revient maintenant. Gabrielle, la rescapée, a parlé de monstres et de vaisseaux brillants. Vous avez vu celui qui est sorti du passage avant notre chute? Tu crois que nous sommes tombés dans leur repaire secret, Will?

— Ça se pourrait. Quant à cet étrange bourdonnement, ça semble provenir du fond de cette grotte... Allons voir ce qu'il en est! proposa Will.

Quelque peu secoué, Kündo s'appuya sur le mur de la grotte et vit l'empreinte de sa main apparaître.

— Hé! Vous sentez ce froid qui se dégage des parois, remarqua-t-il.

Will toucha à son tour les parois et constata qu'effectivement elles étaient glacées.

— Voilà qui est très curieux, murmura-t-il.

Après quelques secondes d'hésitation, il poursuivit:

— Écoutez... j'ai déjà lu dans un bouquin que la mésosphère, le manteau inférieur de la Terre, possédait cette propriété d'élasticité.

— Mais voyons Will… Tu n'es pas sérieux! C'est impossible. J'en connais très peu sur le sujet, mais tout le monde sait qu'à cette profondeur la température pourrait atteindre des milliers de degrés puisque les scientifiques ont découvert que le centre de la Terre était formé d'un noyau en fusion! Jamais un être humain ne pourrait supporter une telle chaleur.

— Exact! Et c'est ce qui rend la chose encore plus bizarre, fit Will.

— Oh là là! Si ce que tu dis est vrai, Will, j'ai bien peur que nous ne soyons pas prêts à sortir d'ici, conclut Kündo qui, la tête rivée vers le haut, cherchait en vain la lumière de la surface. Dis, Will… selon toi, cette sorte de puits dans lequel on est tombé, serait-il le passage emprunté par ces mutants pour enlever les villageois de Moulinvert?

— Honnêtement, Kündo, je n'en ai pas la moindre idée et, bien que le sort des villageois me préoccupe toujours, je crois que nous avons intérêt à trouver ce qui provoque un tel refroidissement, termina Will en se dirigeant vers le fond de l'immense grotte où se trouvait un autre passage.

Avec pour seul éclairage la faible lueur dégagée par la pierre divine au cou de Will et le timide chatoiement en provenance du bracelet de Catherine, la petite troupe, avec en tête Kündo – choisi comme éclaireur pour sa vision féline – se mit en route. Ils entreprirent une exploration prudente au cœur du passage obscur qui s'étirait à perte de vue dans les entrailles de la Terre, en se demandant quelle mauvaise surprise les attendait au prochain tournant…

10

LA GROTTE
AUX CRISTAUX GÉANTS

Ils marchaient depuis quelques minutes dans la pénombre en évitant les parois de roc tapissées d'une curieuse végétation rampante, lorsque Will, doté d'une ouïe remarquable, entendit un mystérieux froissement de feuilles. Il s'arrêta brusquement, l'épée divine à la main.

— Chutt! Pas un pas de plus! J'ai entendu quelque chose de suspect et...

« Aaaaaaaaah! »

Il n'avait pas terminé sa phrase que Kündo et Catherine disparaissaient sous ses yeux, enlevés en une fraction de seconde par les pédoncules géants de plantes carnivores demeurées jusque-là invisibles.

Ces dernières prenaient racine dans les cre-
vasses des parois, desquelles, comme par magie,
elles sortaient et entraient à leur guise.

— Will! Au secours! crièrent Kündo et Catherine,
prisonniers des immenses pédoncules et dont les
cris étouffés s'atténuaient au fur et à mesure que
ceux-ci se refermaient sur eux.

Mais, Will, aux prises avec les maléfiques plantes
qui s'agitaient de façon menaçante autour de lui, eut
tout juste le temps de se retourner une fraction de
seconde et de voir avec horreur Catherine et Kündo
se débattre désespérément à l'intérieur de la corolle
géante et ensuite disparaître dans la paroi.

— Non! hurla Will, fou de rage.

Il parvint finalement à se défaire de l'assaut des
plantes en tranchant quelques pédoncules. Il frappa
de toutes ses forces avec l'épée sur l'épaisse cloison
afin d'ouvrir une brèche. Mais rien n'y fit. Elle s'était
presque totalement refermée comme si le roc avait
des propriétés élastiques semblables à celles de la
membrane qui recouvrait le mystérieux étang noir.

— Catherine! Kündo! Répondez-moi si vous
m'entendez! hurla Will en plongeant son bras dans
le trou de la paroi qui était en train de disparaître.

Il aurait tant voulu se faire happer, lui aussi par l'une de ces funestes plantes afin de retrouver ses amis, mais son instinct de survie l'avait emporté. Les rares plantes ayant survécu au tranchant de l'épée divine, avaient maintenant disparu derrière les parois du tunnel. Will se mit à imaginer le pire pour la sécurité de Catherine et de Kündo.

— Qu'est-ce que ces monstrueuses plantes font ici ? C'est impossible ! Tout est tellement bizarre… Je le savais ! Je t'avais prévenu, Gaëllllll ! fulmina Will, la rage au cœur. Je savais qu'il leur arriverait malheur s'ils se joignaient à moi pour cette périlleuse mission !

Will espérait voir Gaël apparaître, rongé par le remords, mais il demeura seul, debout dans l'obscurité, à des centaines de kilomètres sous la surface de la Terre…

Ok ! Pas de panique ! Ils sont certainement encore vivants. Catherine a le bracelet de Gaël et Kündo la capacité de se transformer en fauve en cas de danger. Confiance ! Où qu'ils soient, ils vont sûrement s'en sortir…

Un peu rasséréné, il reprit à contrecœur sa marche prudente dans les sombres méandres des souterrains à la recherche de ses compagnons disparus…

* * *

Pendant ce temps, quelque part sous terre…
résonna le rugissement puissant du grand félin.

« Wraaaaahhhh ! »

En une fraction de seconde, sous le coup de la colère, Kündo se transforma en un énorme lion préhistorique de plus de deux mètres de haut, aux griffes proéminentes qui n'eurent aucune peine à déchirer les parois de la plante carnivore. Il fut instantanément libéré de sa prison végétale.

«Skuikkkk, Chikkkk, Chikkkk.»

Avec d'étranges petits cris, la plante meurtrière disparut dans la paroi avec sa corolle blessée et pendouillante.

Catherine, toujours prisonnière, hurlait de douleur en sentant que les parois acides commençaient à lui brûler la peau. En panique, elle s'agitait vigoureusement, donnant de grands coups de pieds pour s'extraire de sa prison végétale quand, soudain, un puissant arc électrique, émanant de son bracelet, terrassa la maléfique plante qui recracha aussitôt sur le sol son indésirable proie.

Trop heureuse de se retrouver enfin à l'air libre, Catherine, assise par terre, encore secouée par cette douloureuse mésaventure, ouvrit péniblement les yeux. Elle examina ses brûlures qui, heureusement, n'étaient que superficielles. Une fois remise de ses émotions, elle releva la tête et eut un geste de recul

en voyant au-dessus d'elle une énorme tête de félin armée de crocs proéminents.

La bête la fixait, la gueule entrouverte.

— Tout doux Kündo! Je sais que c'est toi là-dedans… C'est moi! Ton amie Catherine! Tu te souviens de moi? lui dit-elle en se relevant lentement, sans gestes brusques.

Le lion, qui ne semblait pas comprendre son langage, s'avança lentement vers elle. Au poignet de Catherine crépitait toujours le bracelet protecteur d'où s'échappait un arc lumineux prêt à électrocuter tout nouvel assaillant.

Avec étonnement, elle vit le gros lion s'approcher doucement et pencher la tête vers elle pour ensuite lécher les plaies de sa main droite comme le ferait un bon toutou.

— Kündo! Je savais bien que tu finirais par me reconnaître! s'écria Catherine en flattant la tête du grand fauve, heureuse de retrouver son ami qui la regardait, l'air pantois.

Soudain, le lion secoua plusieurs fois la tête comme pour se débarrasser d'une bestiole gênante coincée dans sa gorge. Agité, le grand félidé se mit à grogner fortement jusqu'à ce que sa voix s'éclaircisse et devienne celle d'un jeune garçon.

— Ca… the…rine!

— Kündo? Enfin te revoilà! Tu m'as flanqué une de ces trouilles! Pendant un moment, j'ai bien cru que tu allais me dévorer.

— Désolé… Je ne comprends pas ce qui s'est passé, s'excusa-t-il en examinant son nouveau corps puissant et disproportionné. Sans doute mon instinct primitif aura pris le dessus durant le transfert.

— Non, mais, tu t'es vu? Tu es deux fois plus gros que lors de ta dernière transformation, s'exclama Catherine.

— Où est Will? s'inquiéta Kündo en cherchant des yeux son grand frère. Il n'a pas été capturé par ces affreuses plantes carnivores, j'espère?

— Il semblerait que non. J'espère qu'il ne lui est rien arrivé de fâcheux, reprit Catherine songeuse. Comme je le connais, en ce moment il doit être mort d'inquiétude à cause de nous…

Kündo examina les lieux. En désignant l'immense voûte rocheuse tapissée de cristaux géants qui scintillaient de mille feux, il s'exclama:

— Wow! T'as vu ça, Catherine?

— Oh là là! Madame Murphy du magasin général n'en reviendrait pas si elle voyait ça. Elle qui adore les pierres précieuses, remarqua Catherine.

De cette myriade de joyaux qui brillaient au plafond s'échappait une douce et étrange luminosité qui leur permit de reprendre leurs recherches pour retrouver Will…

***

— Ohé ! Catherine ! Kündo ! Répondez si vous m'entendez.

Mais Will avait beau lancer des appels à répétition, aucune réponse ne lui parvenait. Il n'y avait autour de lui que le silence et le sempiternel bourdonnement auquel il s'était peu à peu habitué.

Je dois poursuivre mes recherches ! Avec un peu de chance, je tomberai sur eux, un peu plus loin dans les souterrains...

Éclairé par le chatoiement de sa pierre, Will continuait lui aussi ses recherches dans les entrailles de la Terre, au milieu de plantes toutes plus étranges les unes que les autres. Certaines avaient de petits points lumineux fixés au bout de grandes antennes. On aurait dit des calmars auxquels on aurait greffé des antennes de homard.

Bizarre, je n'ai jamais vu pareilles créatures. Je dois demeurer prudent...

Depuis sa dernière escarmouche avec les plantes carnivores, Will avançait avec méfiance. Il déboucha soudain dans une immense caverne divisée en plusieurs alvéoles juxtaposées. Dans chacune des cavités reposait un vaisseau métallique luisant d'au moins quatre mètres de diamètre qui flottait en apesanteur à quelques centimètres au-dessus du sol.

Émerveillé par ce phénomène, Will en oublia, pendant quelques secondes, son environnement immédiat. Trop absorbé par cette manifestation, il ne remarqua pas que le bourdonnement s'était amplifié depuis son arrivée dans cette zone souterraine, éclairée par une douce lumière qui émanait du dessous de ces engins volants.

Cherchant à comprendre la provenance de ce bruit incessant, il tourna la tête et vit, au loin, un passage tapissé de cristaux rosés accrochés aux murs en guise de lampadaire. Ce tunnel s'étirait à perte de vue dans les profondeurs de la Terre. En portant son regard au loin, Will remarqua une lueur, tout au fond.

Hum… étrange! Je dois aller voir ce que c'est. Les prisonniers y sont peut-être…

Mais, dès qu'il fit un pas en avant, un rayon lumineux, provenant de l'un des vaisseaux, le percuta à la jambe.

Avant même qu'il comprenne ce qui lui arrivait, il reçut dans le dos une puissante décharge qui le propulsa face contre terre.

— Aiiiiiillllle! s'écria-t-il.

Quelques secondes plus tard, un second rayon puissant le percuta à nouveau, le faisant crier de douleur.

«Ha! Ha! Haaaaaa!»

Un rire sarcastique, qui lui rappela de bien mauvais souvenirs, résonna soudain.

— Si ce n'est pas ce petit minable de Will Ghündee qui nous rend visite, ironisa une voix méprisante. Décidément, tu nous simplifies la tâche. Attends que mon maître apprenne que tu es dans notre repaire secret. Tu regretteras d'avoir osé t'y aventurer!

11

UN ADVERSAIRE IMPITOYABLE

Ébranlé par les décharges successives, Will cherche à retrouver son aplomb. En se retournant, il vit s'avancer vers lui un humanoïde au crâne dégarni et aux oreilles pointues qui le fixait intensément de son regard hypocrite. Il était armé d'un sceptre de cristal duquel s'échappait un flot continu de petits arcs lumineux. Au grand déplaisir de Will, toujours sonné et allongé au sol, trois Mirgödes s'approchèrent et l'encerclèrent, leurs armes redoutables braquées sur lui.

— Bolliom! s'écria Will en se relevant, l'épée au poing. Maudit sois-tu d'avoir fait alliance avec les envahisseurs. Je te ferai payer ça!

— Attends que Melgrâne sache que tu es ici. Tu vas regretter de l'avoir trahi! menaça le vil lieutenant Mirgöde en projetant vers son prisonnier un flot de puissantes ondes à l'aide de son sceptre.

Will, dans un geste vif, plaça son épée à la verticale devant lui et contra le rayon paralysant qui cherchait à l'atteindre. Tel un puissant bouclier, l'épée divine absorba le flot dirigé contre son porteur. La secousse intense provoquée par l'impact du rayon sur son épée lui fit presque perdre pied.

Gaël avait dit vrai. L'épée du Grand Esprit lui serait d'une grande utilité en ces lieux maudits.

Bien qu'encore ébranlé, il se redressa courageusement et s'avança, menaçant, à la rencontre de Bolliom ?

— Livre-moi les prisonniers et je t'épargnerai peut-être !

— Ça jamaiaiaiaiais ! explosa le bouillant Mirgöde, désarçonné cependant de voir les pouvoirs de son sceptre complètement neutralisés.

En moins d'une fraction de seconde, il fit signe à ses gardes qui, simultanément, projetèrent sur Will une nouvelle décharge composée de multiples rayons qui, s'entrecroisant, décuplaient ainsi la puissance. Les rais paralysants réunis en un seul rayon explosèrent littéralement sur leur cible. La violence de l'attaque fut telle que Will en perdit son arme et fut propulsé dans les airs pour percuter ensuite violemment une des parois. Sous l'impact, il crut que sa dernière heure était arrivée.

Quand il réussit à rouvrir les yeux, son ennemi était à quelques pas de lui. Du coup, il chercha son épée du regard, mais elle avait disparu.

— C'est ça que tu cherches, lui demanda Bolliom en faisant tournoyer l'épée au-dessus de sa tête. Sans cette arme, tu fais moins le fier, Will Ghündee. Tu fais pitié à voir!

Tout en gardant un œil sur l'épée, le méprisable lieutenant Mirgöde poursuivit à l'intention de son prisonnier:

— C'est mon maître qui sera content de moi lorsque je la lui remettrai et quand je lui raconterai de quelle façon j'ai tué le grand Will Ghündee.

Mais ce dernier, qui n'entendait pas se rendre aussi facilement, tendit la main et s'écria avec du feu dans le regard:

— Reviens-moi !

Surpris, Bolliom sentit une vive douleur qui lui paralysa la main droite. Incapable de resserrer davantage son emprise sur l'épée divine, il vit avec stupéfaction celle-ci voler vers la paume de son propriétaire encore à genoux.

Furibond, le lieutenant Mirgöde sortit de sa poche un curieux boîtier en verre taillé dont il activa le mécanisme. Ce dernier s'illumina provoquant un son horrible, semblable à celui émis par la mystérieuse toile noire.

Will comprit que Bolliom venait d'appeler ses complices mutants en renfort afin d'essayer de le maîtriser.

Il se releva et se campa solidement sur ses deux jambes, prêt à affronter une fois de plus la cohorte de ses ennemis.

Quelques secondes plus tard, il vit apparaître avec dégoût, un peloton d'horribles créatures extra-terrestres au physique repoussant. Ces créatures rachitiques avaient un corps qui ressemblait vaguement à celui d'un être humain,

avec un tronc, deux bras, deux jambes, mais le tout difforme. À travers leur peau translucide, on pouvait aisément distinguer chaque muscle tendu comme une corde de violon. Leur tête, ornée d'une rangée de longues excroissances de chair pendantes, était énorme et finissait en pointe vers l'arrière, leurs yeux jaunâtres, à la pupille reptilienne verticale, sans paupière leur donnait une allure diabolique.

Will remarqua qu'ils étaient armés de sceptres semblables à celui des Mirgödes, sauf qu'ils étaient en bronze et ornés de pointes recourbées ressemblant étrangement à d'énormes dents de serpent. En haut de la tige brillait un gros rubis, retenu par quatre pointes de diamant, à l'intérieur duquel oscillait une faible lueur. Au sommet de cette arme mortelle, trônait, rattaché au manche, un couperet en forme de faucille tranchante.

Will se souvint des paroles de Gaël au sujet de ces dangereux ennemis venus de la quatrième dimension. Il comprit alors qu'un combat difficile l'attendait s'il voulait survivre afin de retrouver ses amis et libérer les malheureux habitants de Moulinvert.

N'écoutant que son courage, Will se mit en position. Mais il n'eut pas le temps de braquer son arme, qu'un des mutants projeta sur lui, avec son sceptre, un puissant rayon laser. La douleur provoquée par la brûlure à son poignet fut si intense que son épée lui tomba des mains.

Malgré sa blessure, le jeune forgeron n'avait pas l'intention de s'avouer vaincu. Courageusement, il se releva et rappela une fois de plus son épée à lui. C'est alors que les créatures pointèrent leurs sceptres vers lui, en projetant simultanément plusieurs rayons puissants qui le clouèrent littéralement à la paroi de roc le brûlant gravement à plusieurs endroits.

— Ha! Ha! Ha! Tu es maintenant mon prisonnier Will Ghündee et, tout comme les otages qui nous serviront de cobayes pour nos expériences de laboratoire, tu mourras toi aussi dans d'atroces souffrances.

« Relève-toi Will! Tu n'as pas le droit d'abandonner! », lui murmurait sa petite voix intérieure.

Will puisa au fond de lui le courage nécessaire et, malgré l'intense douleur qui l'étreignait, il se releva péniblement et ramassa son épée sous le regard surpris de ses adversaires. Il brandit l'épée divine devant lui et se remit en position d'attaque en s'écriant :

— Au nom des pouvoirs qui me sont conférés et par les forces du bien qui m'ont choisi pour rétablir l'ordre initial, je vous ordonne de vous rendre et de libérer les innocents que vous avez injustement enlevés. Sans quoi, vous devrez subir les conséquences de vos actes crapuleux !

— Non, mais, vous l'avez entendu cet humain minable ! Il est à moitié mort et il croit nous faire peur et nous donner des ordres !

À bout de patience, Bolliom se tourna vers ses subalternes.

— Emparez-vous de lui !

Avant même qu'ils aient eu le temps de réagir, une lueur rouge apparut sur le torse de Will, sidérant ses adversaires. Peu à peu, le jeune forgeron, qui quelques secondes plus tôt arrivait à peine à se tenir debout, se métamorphosa sous leurs yeux. Bolliom et ses sbires virent qu'une lueur blanche recouvrait à présent les yeux de Will. Puis, son corps se raidit et il sembla à nouveau en pleine possession de ses moyens. Bolliom entra dans une colère noire en voyant son prisonnier se dresser seul contre un peloton de redoutables guerriers armés jusqu'aux dents. Il s'écria dans un accès de rage:

— ANÉANTISSEZ-LE!

Aussitôt un torrent d'ondes et de rayons laser s'abattirent sur Will qui continuait de brandir son épée lumineuse pour se protéger. Une chose inusitée se produisit alors. Agissant comme un bouclier protecteur, l'épée du Grand Esprit dressée devant lui, emmagasina toute l'énergie dirigée contre Will. En forçant de tout son être, ce dernier parvint à abaisser sa lame en direction des mutants. Son geste eut pour effet d'inverser le flux mortel et de le retourner vers ses expéditeurs. Une terrible explosion s'ensuivit. L'onde de choc fut telle que ses ennemis furent projetés avec force contre les parois, carbonisés.

Avant de mourir, Bolliom lâcha d'une voix machiavélique:

— Tu... ne les... retrouveras... ja...mais!

Will, à bout de souffle, fit un pas nerveux en direction de Bolliom et de ses acolytes reposant inertes sur le sol. Il constata avec soulagement qu'ils étaient hors d'état de nuire. La prodigieuse lame encore rougeoyante sembla s'apaiser.

Mais Will n'était pas au bout de ses surprises.

Il vit les corps disparaître les uns après les autres.

Mais... que se passe-t-il? Où sont-ils allés? Je ne rêve pas! Ils étaient bel et bien morts...

Hormis l'empreinte des silhouettes carbonisées laissée sur les parois et sur le sol, aucune trace d'eux ne subsistait. C'est alors que Will se souvint des propos de Gaël, à la forge, concernant Kündo, venu tout comme ces créatures, d'un monde parallèle: en cas de décès, il réintégrerait automatiquement son univers.

— C'est donc ça! fit-il, soulagé de voir que les disparus avaient été vraiment anéantis.

Encore fébrile après l'électrisant combat qu'il venait de vivre face aux Mirgödes et leurs alliés, Will, malgré de multiples brûlures, reprit ses recherches afin de retrouver ses compagnons ainsi que les innocentes victimes enlevées par les

envahisseurs. Fort de ce qu'il venait de vivre et toujours armé de l'épée du Grand Esprit, il marcha
d'un pas résolu vers l'étrange lumière qui semblait
l'appeler, au loin …

12
LE PIÈGE DE CRISTAL

Catherine et son ami félin exploraient l'immense grotte de cristaux géants lorsque soudain, sortant de nulle part, un puissant rayon atteignit Kündo à l'épaule.

— GRRRRRR! grogna le fier animal en bondissant devant Catherine pour la protéger.

Malgré le lambeau de chair brûlée qui pendait le long de sa patte avant, il se mit aussitôt en position d'attaque, prêt à tout pour défendre son amie.

Catherine, cachée derrière le grand fauve, découvrit avec horreur les trois créatures d'une laideur innommable qui s'approchaient d'eux, sceptre en main, en crachant des paroles incompréhensibles, entrecoupées de sons glauques.

Leur corps, à la peau verdâtre, était doté de longs bras sveltes, mais musclés. Leurs jambes, bien que longilignes, semblaient puissantes et se terminaient par de longs pieds griffus.

Ces créatures agitaient leur sceptre de façon menaçante tout en avançant vers Catherine et Kündo. Jamais ils n'avaient vu pareils monstres. Catherine, tétanisée, s'attendait au pire. Les affreuses créatures les fixaient de leurs yeux globuleux de reptile traversés par moment d'éclairs lumineux.

Alors que le lion se préparait à charger, un puissant rayon le percuta en plein poitrail, le clouant au sol. L'effondrement du grand fauve dévoila aux envahisseurs la présence de Catherine qu'ils n'avaient pas remarquée jusque-là.

— Kündo, réveille-toi ! cria Catherine en panique.

Voyant son ami inconscient et sans défense, elle se planta résolument devant lui et braqua son bracelet en direction des diaboliques créatures.

— Faites un pas de plus et vous allez goûter à ma médecine, menaça-t-elle, du feu dans le regard.

Au vu des arcs lumineux qui s'échappaient de l'objet insolite que Catherine portait à son poignet, les mutants, intrigués, s'arrêtèrent.

Le chef de la bande, attiré par le bracelet, tendit une main griffue pour s'en emparer. Mais, avant d'avoir pu le toucher, une décharge l'atteignit de plein fouet. Il recula nerveusement en laissant échapper des sons gutturaux.

Furieux, il pointa son redoutable sceptre sur le poignet de Catherine et actionna son rayon à la puissance maximum avec la ferme intention de lui trancher le bras et de récupérer le bijou protecteur. Mais, le bracelet déploya aussitôt autour de la jeune femme un écran lumineux qui, tel un miroir, renvoya le rayon vers son expéditeur, le brûlant gravement au visage.

Les deux autres mutants se mirent à gesticuler en laissant échapper des sons gutturaux entrecoupés de cliquetis. Résolus à venger l'affront fait à celui qui semblait leur chef, ils se postèrent de part et d'autre de Catherine en pointant un sceptre menaçant avec l'idée bien arrêtée de la déposséder de son arme prodigieuse.

Mais, à chacune de leur tentative, le bracelet émettait une nouvelle charge qui les forçait à reculer. Secouées par les chocs reçus, les créatures grommelèrent entre elles pendant quelques secondes puis, au grand soulagement de Catherine, elles disparurent dans les souterrains.

Devinant que ses ennemis reviendraient avec des renforts, elle se pencha vers Kündo pour l'exhorter à reprendre ses esprits

— Vite, Kündo! Réveille-toi! Vite! Ils vont revenir! Nous devons partir.

Mais, celui-ci, gravement brûlé par les rayons, gisait à demi-conscient et semblait incapable de faire le moindre geste. Ne sachant que faire, Catherine, qui refusait d'abandonner son ami, resta auprès de lui en priant pour qu'un événement providentiel vienne à leur secours. Du plus profond de son cœur, elle souhaita que Kündo revienne à lui. Pendant qu'elle murmurait des prières destinées à demander l'aide des bons esprits et de Gaël, Catherine caressait Kündo avec tendresse, la larme à l'œil.

Alors qu'elle s'abandonnait à sa peine, un léger crépitement se manifesta. Intriguée, elle regarda son bracelet et dirigea sa main vers une des blessures de Kündo. Le crépitement se fit à nouveau entendre et le bracelet fut traversé par un arc électrique d'une couleur tirant sur le rose.

Catherine sentit naître en elle un fol espoir. Elle plaqua son bracelet contre la plaie du lion qui s'éveilla brusquement en rugissant de douleur.

Lentement, la plaie de Kündo se referma et se cica-trisa sous l'effet curateur du bracelet.

— Oh! Merci Gaël! Ça a fonctionné, jubila Catherine.

Sans même laisser à Kündo le temps de réagir, elle plaça le bracelet sur son torse blessé. Une vive douleur le terrassa à nouveau.

Au bout de quelques secondes, sentant soudain ses forces revenir, le grand félidé se redressa.

— Merci Catherine! Tu m'as sauvé la vie, s'exclama-t-il en frôlant de sa tête la tête de son amie.

— Ce n'est pas moi qu'il faut remercier, mais Gaël pour nous avoir confié ce bracelet miraculeux.

«Décidément, Gaël a pensé à tout», songea-t-elle.

— Viens Kündo! Nous devons filer et vite avant que ces créatures diaboliques au sceptre de feu ne reviennent.

Nos deux fugitifs s'engouffrèrent alors dans le premier souterrain venu en souhaitant de tout cœur pouvoir retrouver Will. Mais, une autre mauvaise surprise les attendait. Lorsqu'ils arrivèrent devant ce qui semblait être une nouvelle série de grottes, Catherine hésita entre deux couloirs, puis elle emprunta le plus étroit des deux, qui déboucha, au bout d'un moment, dans une salle faiblement éclairée.

— Suivons cette lumière...

Un choix qu'elle regretta vite, car au moment de pénétrer dans la grotte aux parois incandescentes, un vrombissement bizarre remplit l'espace autour d'eux.

« Vououoummmm, vouoummmm ! »

Brusquement, une cage, aux parois de verre très épaisses, s'érigea autour d'eux les emprisonnant complètement, pour disparaître ensuite sans laisser de traces. Se croyant à nouveau libres, Kündo et Catherine se lancèrent droit devant eux.

À peine eurent-ils fait deux pas que Kündo se heurta violemment le museau contre l'épaisse paroi translucide qui, sous le choc, réapparut, tandis que Catherine, à son tour percutait Kündo et s'affalait de tout son long sur le sol.

À cet instant, un rire sardonique résonna, les figeant sur place.

— Ha! ha! ha! Les humains sont tellement prévisibles.

De l'autre côté de la cage de verre, sortant de nulle part, un humanoïde de haute stature aux oreilles pointues et au regard cruel se tenait devant eux.

— Qui êtes-vous et que nous voulez-vous? s'écria Catherine, furieuse, en plaquant son bracelet contre la paroi pour tenter de détruire cette barrière de verre.

Mais, rien ne se produisit. L'humanoïde, accompagné de deux subalternes ainsi que de trois des affreuses créatures qui les avaient attaqués plus tôt, s'approcha de la cage. La troisième créature, sans doute le chef, avait un physique beaucoup plus imposant que ses congénères. Il jeta aux prisonniers un regard diabolique.

— Je suis Melgrâne le tout-puissant, quant à lui, c'est Ozlark, grand inquisiteur de la planète Orphéga.

— Melgrâne? Comme c'est étrange… ce nom me dit quelque chose, marmonna la captive intriguée.

— Nous ne voulons rien de vous, étrangers, mais de Will Ghündee, je prendrai TOUT, jusqu'à son dernier souffle, laissa tomber Melgrâne en leur jetant un regard impitoyable. Vous êtes piégés comme des rats et ce n'est pas avec ce jouet à ton bras ou avec l'aide de cette créature préhistorique que tu réussiras à forcer les murs de cette prison inviolable. Je vous tiens et je vous garderai prisonniers jusqu'à ce que mort s'ensuive. Vous êtes l'appât rêvé pour attirer le porteur de la pierre et le forcer à se compromettre en essayant de vous délivrer.

Sur le coup, les dernières paroles de Melgrâne rassurèrent Catherine. Elle savait Will sain et sauf et, dans son for intérieur, elle remercia le Tout-Puissant. Mais sa joie fut de courte durée, lorsqu'elle réalisa qu'ils étaient tous les deux, Kündo et elle, condamnés à finir leurs jours dans cette affreuse cage de verre et, éventuellement, d'avoir à assister à la fin de Will, sans pouvoir le prévenir du piège qui l'attendait.

— Will ne vous rendra jamais la pierre ! hurla Catherine, des éclairs dans les yeux. Il préférera mourir plutôt que de pactiser avec des monstres comme vous.

— Tais-toi ! tempêta Melgrâne en dirigeant vers Catherine un flot d'ondes cérébrales qui traversa l'épaisse cloison et atteignit la prisonnière de plein fouet, la clouant au sol aux prises avec d'intenses douleurs.

— Kündo ! Aide-moi, je t'en prie ! hurla Catherine qui, les deux mains sur les tempes, se tordait de douleur.

Ne pouvant supporter de voir sa compagne souffrir plus longtemps, Kündo bondit sur la cloison de verre devant laquelle se tenait Melgrâne et lança vers celui-ci un regard sans équivoque tout en poussant un puissant rugissement.

— Eh bien ! Tu en veux toi aussi ? dit Melgrâne en voyant le lion, dressé sur ses pattes arrière contre les parois de verre, rugir de toutes ses forces.

En l'espace de quelques secondes, cette dernière se fragilisa à certains endroits sous le regard ahuri des envahisseurs qui reculèrent d'un pas.

À la vue des petites fissures qui venaient d'apparaître, Melgrâne délaissa sa proie et dirigea ses ondes malsaines vers le grand fauve. À son tour, Kündo fut cloué au sol et perdit connaissance devant Catherine impuissante. Cette dernière, qui commençait à peine à se remettre du supplice qu'elle venait de subir, demeura silencieuse,

jugeant qu'il serait plus sage de ne pas provoquer ses bourreaux.

En voyant les prisonniers terrassés, Melgrâne s'exclama :

— Venez ! Ils ont leur compte.

Alors qu'il se dirigeait vers l'entrée de la grotte, Melgrâne appela, sur un ton autoritaire :

— Vadiöm !

— Oui, maître !

— Trouve-moi Bolliom et lance les recherches avec les Orphéguiens. Retrouvez-moi ce Will Ghündee de malheur, ordonna le vil souverain, approuvé du regard par Ozlark. Il traîne sûrement dans les parages puisque ceux-là sont ici…

Après le départ des subalternes, Melgrâne ajouta à l'intention de son complice Orphéguien :

— Il doit à tout prix savoir que je détiens ses amis, cela le poussera à se compromettre et nous l'abattrons sans problème. J'aurai ma vengeance ainsi que l'épée et la pierre qu'il porte toujours à son cou et, comme convenu, je vous remettrai la pierre du Guibök qui vous permettra de voyager plus aisément d'un univers à l'autre. Vous pourrez ainsi soumettre tous les habitants de ces planètes, sauf la nôtre, bien sûr ! termina-t-il en jetant un coup d'œil en coin au chef des Orphéguiens.

— Gouak, couclaok, wouakoul, acquiesça ce dernier, tandis qu'ils s'éloignaient dans les souterrains en discutant stratégie avec de grands gestes…

13

LA MENACE FANTÔME

Will progressait lentement dans l'obscurité, guidé par la lumière et le mystérieux grondement de plus en plus fort provenant du fond du passage. Il avait beau connaître l'importance de sa mission, il ne pouvait s'empêcher de penser à Catherine et à Kündo. Il s'en voulait de les avoir gardés avec lui et s'accablait de reproches…

J'aurais dû trouver une stratégie qui les aurait empêchés de me suivre jusqu'ici. À présent, je suis tellement inquiet que je n'arrive plus à me concentrer sur ce que je devrais faire. Je dois aussi retrouver tous ces pauvres innocents qui ont été capturés et découvrir l'origine du changement de température constaté depuis quelque temps déjà et encore plus depuis que je suis dans les profondeurs de la Terre. Tout ça n'est pas normal. Il y a forcément un lien. Je dois réussir cette mission coûte que coûte… Il faut que je retrouve ma concentration.

Perdu dans ses pensées, Will remarqua soudain qu'il était arrivé à proximité de la salle d'où émanait l'étrange lumière aperçue auparavant.

Alors qu'il se demandait où pouvait bien se trouver l'endroit où les mutants détenaient les prisonniers, la pierre à son cou se mit à scintiller faiblement et, plus il approchait de la salle plus la luminosité s'accentuait.

— Il se passe quelque chose d'inhabituel, marmonna-t-il en se creusant les méninges pour essayer de comprendre le phénomène.

La grotte dans laquelle il venait d'entrer était immense, mais, chose étrange, elle n'avait pas de plafond. En son milieu un gigantesque vaisseau, de forme sphérique, aux parois métalliques noires et luisantes, flottait en apesanteur. Une étrange lueur radiante en émanait qui oscillait comme les pulsations d'un cœur humain. Sous le vaisseau une énorme tige incandescente rejoignait le sol. Will, intrigué, s'approcha un peu plus près et constata que la fameuse tige pénétrait profondément dans le sol.

L'esprit de Will était en effervescence. Il essayait d'analyser ce qu'il voyait pour comprendre l'utilité de cette installation. À cet instant, il se souvint de l'avertissement que Gaël lui avait donné à la forge, avant son départ et qui résonnait maintenant dans sa tête.

« … Une force obscure en provenance d'un univers parallèle au vôtre est parvenue à investir votre monde. Vous devez tout faire pour contrecarrer les plans diaboliques échafaudés par ces envahisseurs. Il en va de la survie de votre planète… »

— C'est donc de cela que parlait Gaël, marmotta Will en examinant l'engin de plus près. Ils sont ici dans le seul but d'extraire l'énergie du noyau terrestre pour l'emmagasiner et s'en servir comme une arme de destruction massive. Je dois absolument inverser le processus avant qu'il ne soit trop tard!

Alors qu'il contournait le mystérieux vaisseau, trois minuscules rayons rouge vif atteignirent sa cuisse droite. Mais, croyant ceux-ci reliés à l'éclairage de l'engin, il n'en tint pas compte.

— Hein! s'écria Will.

Avant même d'avoir compris ce qui lui arrivait, il fut immobilisé par une force invisible. Comme attiré par un aimant géant, il se retrouva, face contre terre, le torse rivé au sol alors qu'un sifflement strident retentissait tout autour de lui.

C'est sûrement un piège invisible installé par les mutants pour protéger cet engin diabolique et signaler une intrusion...

— Je dois... sortir... d'ici... à tout... prix. Vite... avant qu'ils ne... rap...pliquent, balbutia Will en se débattant comme un forcené pour se défaire de ses liens invisibles.

Puis soudain, une fois de plus, les sages paroles de Gaël lui revinrent à l'esprit.

« ... En cas de besoin, n'hésite pas à te servir de la pierre du Guibök. En de rares exceptions, elle peut téléporter son possesseur d'un point à un autre, sans changer d'univers. Mais... un conseil, n'en abuse pas ! Tu pourrais le regretter... »

— Si seulement... je pouvais... l'atteindre..., songea-t-il, plein d'espoir.

Will se contorsionnait désespérément afin d'atteindre la poche gauche de son pantalon où se trouvait le précieux caillou. À force de persévérance, et au prix d'efforts surhumains, il sentit finalement au bout de ses doigts le cordon qui fermait le petit sac de velours dans lequel reposait la pierre. Il réussit à l'attraper et se mit alors à tirer doucement, par petits coups, pour ainsi sortir la pochette de son pantalon. Comme un prisonnier, Will avait de la peine à décoller les bras de son corps.

Au prix d'un ultime effort, et d'une seule main, il arriva tant bien que mal à agrandir l'ouverture de la pochette pour ensuite, du bout des doigts, récupérer sa pierre. Dès qu'il put enfin la toucher, il posa la main sur elle.

Au même moment, un peloton de Mirgödes, secondé par des créatures extra-terrestres, arrivait au pas de course. Ayant repéré Will, ils se ruèrent vers lui. Comprenant que sa dernière heure était arrivée, il souhaita de tout son cœur revenir à l'étape précédente.

« Pouf ! »

Will disparut comme par enchantement sous le regard médusé des gardes qui ne comprenaient rien à ce qui venait de se passer.

Son plan d'évasion avait fonctionné ! Will réapparut une seconde plus tard à l'endroit où il avait vaincu Bolliom et ses hommes.

Les lieux étaient déserts.

— Ouuuff! Gaël je t'en dois une! jubila Will en se relevant sain et sauf, la précieuse pierre toujours dans sa main.

Par prudence, il prit la direction opposée et croisa une série de couloirs creusés vraisemblablement par les envahisseurs. Son intuition lui dicta d'en suivre un en particulier. Il s'y engagea sans hésiter.

Bon, maintenant que je sais où se trouve cet engin diabolique, je reviendrai pour le détruire, mais pour l'instant, je dois essayer de retrouver Catherine, Kündo et les prisonniers...

Le couloir choisi déboucha un peu plus tard devant une immense grotte dont l'entrée était gardée par deux énormes colonnes métalliques de plus de trois mètres de haut. D'où il était situé, il remarqua qu'au fond de la grotte, il y avait de gros barreaux de fer luisants.

— Enfin, je crois que les voilà! marmonna Will.

Les cellules où sont emprisonnés les villageois kidnappés doivent certainement se trouver derrière ces barreaux...

Il décida de pénétrer à l'intérieur de la grotte. Aussitôt qu'il eut dépassé l'entrée, un faible déclic se fit entendre et un signal lumineux apparut. Interpellé, Will se retourna et vit que tout en haut des colonnes de petites lumières rouges clignotaient. Il examina brièvement le travail des envahisseurs qui, tels les totems indiens, avaient sculpté la structure métallique en y gravant des signes cabalistiques. Ces dernières étaient surplombées par des têtes d'aspect repoussant.

Alors qu'il arrivait à proximité de la cellule bondée de prisonniers gisant sur le sol, Will entendit une série de cliquetis et la cage disparut brusquement ne laissant, en lieu et place, qu'un mur nu où reposait une boîte à mirage comme celle qu'il avait vue dans le village abandonné.

— Hein ! Que se passe-t-il ? fit-il, abasourdi. Où sont passés les prisonniers ?

Avec colère, il comprit qu'il venait de tomber dans l'un des redoutables pièges à mirage dont il avait été victime auparavant. D'un geste rapide, il transperça de sa lame le crabe métallique qui s'éteignit dans un concert de sons discordants.

Désireux de fuir les lieux rapidement, il se retourna et aperçut, au bas des colonnes bardées de signes bizarres, deux trappes. Allant de surprise en surprise depuis son arrivée dans ces souterrains, il vit une nuée de grosses araignées robotisées en surgir.

Ces dernières, programmées pour tuer, avançaient lentement vers lui en agitant leurs antennes flexibles au bout desquelles clignotaient de petits yeux rouges.

— C'est quoi encore ces engins de malheur?

Tout à coup, de minuscules boules laser volèrent dans sa direction. Les dangereux projectiles terminèrent leur course sur les parois autour de lui. Affolé, il multiplia les esquives et les bonds de côté pour éviter l'attaque sournoise des diaboliques robots miniatures.

Will n'avait pas le choix. Il devait bouger vite, car lorsqu'une de ces petites boules rouges parvenait à l'atteindre, elle le brûlait gravement. Grâce à sa rapidité, il parvint à éviter et à bloquer la plupart des tirs en faisant des huit avec sa lame. Mais, la vitesse des projectiles eut raison de lui et il fut vite à bout de souffle.

Je dois trouver rapidement un moyen de me débarrasser de ces petits intrus malfaisants...

Alors qu'il reculait lentement, Will repéra une stalagmite qui s'élevait au fond de la grotte.

Risquant le tout pour le tout, il remit son épée au fourreau et courut dans cette direction. Sur place, il saisit l'excroissance rocheuse à bras le corps et tira de toutes ses forces.

« Crakkkk ! »

La stalagmite céda finalement et, après avoir poussé son cri de guerre, Will, dans un suprême effort, monta l'énorme projectile au-dessus de sa tête et le lança de toutes ses forces en direction des robots meurtriers. Une fraction de seconde plus tard, le gros projectile atteignit une partie des funestes machines qui s'aplatirent dans une cacophonie de cliquetis. Profitant de la débandade, il sortit son arme et se lança vers les quelques robots restants. D'un geste précis, il leur coupa d'abord les antennes qui projetaient les boules laser pour ensuite les pourfendre de sa lame au centre de leur coquille.

— Bon ! Enfin débarrassé de ces salles bestioles, lâcha-t-il, soulagé.

Alors qu'il époussetait ses vêtements couverts d'une épaisse couche de poussière, Will, qui se croyait enfin tiré d'affaire, vit, en relevant la tête, une énorme pierre arriver droit sur lui, lancée par une des colonnes qui venait de se révéler être un robot géant. D'instinct, il plongea, la tête la première, ce qui lui permit d'éviter, de justesse, le mastodonte qui alla, avec fracas, terminer sa course contre la paroi derrière lui.

— Quel enfer! Je ne suis pas sorti du bois, grommela le jeune forgeron en s'apercevant que la deuxième colonne se transformait à son tour en gigantesque robot.

— Ça ne finira donc jamais! lâcha Will en sortant à nouveau son arme, prêt pour le combat qui s'annonçait rude…

14
UN COMBAT INÉGAL

Will n'avait jamais vu pareils engins et il se demanda comment il arriverait à s'en débarrasser. Ces monstres métalliques sans jambes planaient à quelques centimètres du sol, propulsés par de puissants jets de gaz intermittents qui les maintenaient en état d'apesanteur. Leur large poitrail métallique, qui paraissait invulnérable, arborait un signe lumineux en forme de triangle. Leur bras aux mains gigantesques, étaient dotés de petits canons lumineux qui les rendaient encore plus redoutables.

Will vit avec horreur les robots arracher de grosses pierres et les maintenir au-dessus de leur tête. Ces machines extra-terrestres avançaient vers lui, menaçant de l'écraser vivant. À part leur taille, elles n'avaient rien de comparable avec les redoutables Mandrökes qu'il avait affrontés au palais d'Argoss.

Will leur faisait face, l'épée en main, prêt à livrer bataille à ces machines diaboliques venues d'ailleurs. À l'aide de leur bruyant propulseur, les deux automates avancèrent vers lui tout en le bombardant de grosses pierres qu'il esquivait tant bien que mal.

Grand Dieu! Mais d'où sortent ces gardiens métalliques? Il faut à tout prix les éliminer, sinon ils vont donner l'alerte et signaler ma présence.

Agile comme un félin, Will parvenait à esquiver la plupart des tirs ennemis en se servant de son épée pour faire éclater les gros projectiles qui se frayaient un chemin jusqu'à lui. Ces robots, qui semblaient dotés d'une certaine intelligence artificielle, passèrent en mode «attaque dynamique» en constatant que leur proie était toujours debout. Ils se mirent à projeter vers Will des rayons laser qui firent éclater les parois tout autour de lui, l'obligeant à bondir de tous les côtés afin d'éviter le coup fatal.

Je dois... absolument... me rapprocher, si je veux... trouver leur point faible...

À force d'esquives et de plongeons répétés, il parvint à se rapprocher de l'un des robots et à lui assener un violent coup d'épée qui perfora son armure sur le flanc gauche. Voyant cela, l'automate comprit que son adversaire pouvait être dangereux.

Will tournoyait autour du premier robot de manière à se protéger du second qui cherchait à l'atteindre avec son puissant rayon pulvérisateur.

— Allez! Approche minable tas de ferraille! Tu n'arrives même pas à te débarrasser d'un puceron comme moi! le nargua Will. Tu es une véritable honte! Ceux qui t'ont construit vont te retourner au dépotoir. C'est là qu'est ta place! Allez! Bats-toi! Poubelle ambulante!

Soudain, les deux petites lumières bleues lui servant d'yeux virèrent au rouge, comme si le robot réagissait à la provocation.

Avec un déclic sonore, une longue lame métallique sortie de son avant-bras en guise d'arme. Il se mit à avancer vers Will en fendant l'air de son arme redoutable. Tenant son épée à deux mains, Will encaissa deux solides coups d'estoc qui le jetèrent au sol tant les frappes étaient puissantes.

Il évita ensuite plusieurs d'entre eux qui terminèrent leur course contre les parois, y arrachant chaque fois de gros éclats de pierre. Agrippé à son épée comme un naufragé à sa bouée de sauvetage, Will rassembla toutes ses forces afin de résister aux attaques fulgurantes de son adversaire qui lui livrait un combat mortel.

Ces robots diaboliques sont vraiment trop forts! Je n'y arriverai pas... Même les Mandrökes avaient un point faible...

Will vivait les pires moments de sa vie. Heureusement, jusqu'à présent, l'épée du Grand Esprit résistait admirablement aux puissantes attaques, s'illuminant à chaque coup encaissé. Pendant qu'il combattait cette machine infernale, il vit approcher le second gardien. Dans une esquive adroite, il évita de justesse le puissant coup de la part du premier robot qui en manquant sa cible termina sa course contre le poitrail métallique de son congénère. Sous l'impact, le second robot, l'armure cabossée, fit un vol plané et s'affala contre une des parois, fortement ébranlé.

Au moins un dont je n'aurai pas à m'occuper pour le moment...

En constatant qu'il venait d'assommer son congénère, l'agresseur redoubla d'ardeur dans ses attaques. Will, qui commençait à ressentir des signes d'épuisement, encaissait les coups avec plus de difficulté.

« Si ça continue comme ça, je ne pourrai plus tenir très longtemps », songea-t-il alors que le robot s'acharnait sur lui.

Cependant, en évitant une fois de plus l'attaque du robot gardien, celui-ci fut momentanément déstabilisé et dut faire un demi-tour sur lui-même. Ce qui permit à Will d'apercevoir, à la base du crâne métallique, une petite lumière bleue qui clignotait.

C'est sûrement là que se trouve le mécanisme qui les contrôle. Si j'arrive à le détruire, il sera hors d'état de nuire. Mais comment l'atteindre ?

Il n'eut pas le temps d'y réfléchir plus longue-ment. Le robot levait déjà son bras meurtrier pour lui porter le coup fatal. Will rassembla tout son courage. Tentant le tout pour le tout, au risque d'être brûlé vif, il plongea sous le gardien et, fai-sant une roulade entre deux jets de gaz stabilisateur, tout en étant brûlé partiellement au bras droit au passage, se retrouva derrière son ennemi.

Surpris par la rapidité de Will, qui venait de dis-paraître à sa vue, le cerbère, qui ne pouvait baisser la tête qu'avec difficulté, s'immobilisa, le cherchant du regard.

Will s'élança alors, l'épée bien en main, et visa le point lumineux derrière la tête du robot, en priant pour que son plan audacieux fonctionne. Sa lame atteignit la cible sous la base du crâne, causant aussitôt un court-circuit qui provoqua une myriade d'étincelles. Complètement déréglé, le robot gardien s'agita frénétiquement et se mit à planer dans tous les sens comme le ferait un pantin désarticulé. Il percuta à plusieurs reprises les parois de la grotte sous le regard de l'autre robot qui se remettait du terrible choc encaissé un peu plus tôt.

Will, qui souffrait de brûlures mineures quand les jets de gaz l'avaient atteint au bras lors de sa roulade, jubila en voyant que son plan avait fonctionné. Mais rien n'était gagné et sa joie fut de courte durée lorsqu'il vit le second robot s'amener vers lui en essayant de l'atteindre avec son terrible rayon désintégrateur.

Affaibli et à bout de souffle, Will se dirigea vers le robot hors service afin de récupérer son épée toujours fichée à l'arrière de son crâne métallique, mais avant même d'avoir pu récupérer son arme, il fut atteint en pleine poitrine par un puissant rayon.

— AAAAAAAAAH !

Will comprit qu'il venait de livrer sa dernière bataille. Alors qu'il savait que son corps était sur le point d'être anéanti, il sentit une chose étrange naître en lui. Plutôt que de paniquer devant sa mort imminente, une paix indescriptible l'envahit.

Tel un souvenir lointain, les paroles de son ami Gaël résonnèrent à nouveau à son oreille :

« Will mon ami… Avant d'entreprendre cette quête des plus périlleuses, tu dois savoir ce qui t'attend là-bas. Ces mutants venus d'une autre dimension ont des pouvoirs qui dépassent tout ce que tu as pu affronter jusqu'à présent. C'est pourquoi le Grand Esprit, reconnaissant pour tout ce que tu as fait jusqu'ici par pur altruisme, a décidé de te faire don d'un nouveau et prodigieux pouvoir. Ce pouvoir, qui sommeille en toi depuis ta rencontre en rêve avec l'Être de Lumière, se révélera en temps opportun. »

Alors qu'il se croyait battu, Will sentit soudain une puissance incroyable monter en lui et s'emmagasiner au niveau de son plexus solaire tel une énorme source d'énergie. Son torse fortement irradié par le rayon dévastateur du robot gardien, passa soudain du rouge mortel au blanc pur. Son corps, courbé vers l'arrière sous la puissance du tir ennemi, se redressa brusquement. Le rayon mortel, d'un rouge vif, dirigé vers lui, tourna au blanc puis, revint vers le robot dont l'armure rutilante fut inondée d'une forte lumière blanche.

Il se mit alors à sautiller sur place et le processeur lui servant de cerveau grilla instantanément.

Comme son congénère, il se mit à voler dans tous les sens pour finalement s'écraser contre une des parois où il s'éteignit dans un dernier soubresaut.

Will tomba à genoux, épuisé par tout ce qu'il venait de vivre.

« Encore une fois Gaël avait raison. Dans sa grande sagesse, il m'a laissé découvrir par moi-même le nouveau pouvoir que le Grand Esprit avait implanté en moi », songea Will.

Son torse recouvra peu à peu son aspect habituel et son vêtement, gravement brûlé, reprit sa texture originelle.

« Hum… cette fois-ci je peux dire que je l'ai échappé belle ! » pensa Will en reprenant ses esprits.

À cet instant, un bruit de course accompagné de sons gutturaux résonnèrent dans les corridors avoisinants.

— Vite ! Je dois filer avant qu'ils ne rappliquent. Il me faut absolument trouver les prisonniers, marmotta Will qui, sentant ses forces revenir, retira prestement son épée du crâne métallique de son ennemi pour déguerpir ensuite au pas de course dans le dédale des souterrains.

15

TEL EST PRIS
QUI CROYAIT PRENDRE

Alors que Will sortait victorieux du plus éprouvant combat qu'il ait eu à livrer depuis sa rencontre avec Victor le redoutable, Catherine et Kündo quant à eux se remettaient péniblement des assauts de Melgrâne et cherchaient un moyen de s'échapper. Ils examinaient l'épaisse paroi de verre en la faisant réapparaître d'un simple toucher. Malheureusement pour eux, cette prison, surveillée par deux mutants patrouillant dans le secteur, semblait inviolable.

— Catherine… Tu crois que Will s'en est sorti ? demanda Kündo qui, remis de ses émotions, avait retrouvé son aspect humain.

Le garçon, qui depuis un moment tournait en rond impatiemment, s'arrêta net. Immobile, il se mit à fixer intensément un des corridors qui aboutissait à l'endroit où ils se trouvaient. Le comportement de son ami éveilla la curiosité de Catherine qui tenta de savoir ce qui avait attiré son attention. Kündo tourna lentement la tête vers Catherine et lui fit signe de regarder un point précis. Surprise, elle aperçut Will qui arrivait vers eux, l'épée au poing!

— Non! Willll! Va-t'en! C'est un piège! s'écrièrent-ils en chœur, en gesticulant vivement.

Will, ravi de retrouver enfin ses amis sains et saufs, s'arrêta brusquement. Il ne les entendait pas, mais il lui avait semblé déceler une angoisse profonde sur les traits de Catherine.

Il se passe quelque chose de bizarre. Ils m'ont vu, pourquoi ne viennent-ils pas me rejoindre au lieu de gesticuler comme ça?

Malgré tout, il reprit son approche, en demeurant sur ses gardes. Avant de pénétrer dans la grotte, Will eut le réflexe de faire un bond de côté et de se cacher derrière une des parois. Au même moment, les deux gardes intrigués par les singeries des deux prisonniers, rappliquèrent, sceptre en main.

Lorsqu'ils arrivèrent près de sa cachette, Will n'en fit qu'une bouchée, au grand soulagement de Catherine et de Kündo qui, afin de l'aider, appuyèrent leurs mains sur la paroi transparente de leur prison. Surpris, Will vit les contours de la cage de verre apparaître. Tel un chat rôdant autour d'une souris, il longea les murs translucides à la recherche d'un quelconque dispositif d'alarme risquant de prévenir l'ennemi de sa présence ou d'un mécanisme qui pourrait libérer ses amis. Ce faisant, il remarqua deux de ces machiavéliques petits robots guerriers postés à l'entrée du couloir emprunté par Melgrâne et Ozlark.

Je n'ai pas le choix, pensa-t-il. Je dois absolument les détruire si je veux réussir à libérer Catherine et Kündo sans attirer l'attention des envahisseurs.

Tentant le tout pour le tout, Will décida d'affronter les petits robots guerriers qui, dès l'instant où ils le virent, s'activèrent et donnèrent l'alerte générale. Et le combat commença. Protégé par sa puissante épée, Will parvint à faire dévier les tirs laser et même à en rediriger certains vers la prison de verre, fragilisant ainsi la paroi à certains endroits. Après plusieurs coups d'épée bien placés, les robots furent mis hors de combat. Débarrassé des petits gêneurs, Will se mit à tâter les parois translucides sous les regards inquiets de Catherine et Kündo quand, soudain, ces derniers se figèrent comme des statues de marbre.

— Willllllllll ! Je t'en supplie ! Sauve-toi ! Tu le peux encore ! lui cria Catherine d'une voix à peine audible en tapant sur l'épaisse paroi.

Interpellé par leurs gesticulations, Will se retourna et vit son redoutable ennemi, Melgrâne, qui rappliquait pour se venger.

— Eh bien ! Regardez qui nous rend visite ! clai- ronna le Mirgöde en voyant Will se placer devant ses amis retenus captifs dans leur prison transpa- rente. J'attends ce moment depuis trop longtemps. L'heure est venue de payer pour l'affront que tu m'as fait, Will Ghündee !

— Melgrâne ! fit Will qui, comprenant que l'heure du combat ultime avait sonné, se mit aussitôt en garde, l'épée bien haute. Il semble que tu aies des comptes à régler avec moi. Alors, finissons-en ! Mais d'abord, je fais appel à ton intelligence en t'offrant une dernière chance de racheter l'ignomi- nie que tu as perpétrée en t'associant à ces êtres démoniaques.

— Ha ! ha ! ha ! Tu me surprendras toujours, pauvre humain stupide. Tu crois m'impressionner avec ton épée. C'est moi qui te donne une dernière chance de te racheter. Rends-moi immédiatement ma pierre et mon épée que tu m'as volées lors de ta dernière visite dans mon antre, ainsi que la pierre du Guibök et là, nous pourrons discuter de ce que je ferai de toi et de tes amis, proposa Melgrâne sur un ton méprisant.

— Ta pierre? Ton épée? rétorqua Will en fusillant Melgrâne du regard. L'épée divine et la pierre de la déesse Aurora ne sauraient se retrouver entre les mains tachées de sang d'un être méprisable! Quant à la pierre du Guibök, plutôt mourir que de la céder à ces créatures diaboliques qui l'utiliseront pour faire régner le mal.

Cette dernière remarque provoqua la colère de Melgrâne qui se tourna vers ses complices pour leur faire signe d'attaquer l'intrus.

—Tu vas périr Will Ghündee et tes amis mourront dans d'horribles souffrances. Je t'en donne ma parole, lâcha Melgrâne en projetant ses ondes cérébrales paralysantes en direction de Catherine qui se mit à hurler de douleur.

— NOOOOOON! s'écria Will.

À la vue de sa bien-aimée plaquée au sol et terrassée par les ondes maléfiques, le jeune forgeron entra dans une colère innommable. Voulant faire cesser les douleurs infligées à sa bien-aimée, Will se lança à l'attaque des mutants et les Mirgödes qui se trouvaient sur son chemin, résolu à rejoindre Melgrâne pour l'empêcher de déverser son flot d'ondes malsaines vers son amie.

Les tirs de laser et les jets provenant des sceptres Mirgödes et Orphéguiens arrivèrent de tous les côtés provoquant un immense champ énergétique autour de Will. Sa puissance fut telle qu'il se retrouva paralysé, incapable de continuer à se battre.

Épuisé, il tomba à genoux et se tourna pour jeter un dernier regard en direction de Catherine qui, terrassée par Melgrâne, perdit connaissance.

Will était battu. Malgré l'aide de son épée, il n'arrivait plus à contrer les tirs dirigés vers lui. Certains d'entre eux se frayèrent un chemin jusqu'à lui et le brûlèrent gravement.

Peu à peu, il sentit ses forces l'abandonner. La frayeur pouvait se lire sur son visage.

Voyant Catherine effondrée et Will sur le point de perdre connaissance, Kündo entra dans une rage incontrôlable et se transforma en une fraction de seconde. Le grand fauve se mit à rugir de toutes ses forces et bondit sur la paroi de verre déjà fragilisée par les tirs perdus lors de la bataille. Cette dernière éclata en mille morceaux sous le regard estomaqué des envahisseurs qui délaissèrent aussitôt Will pour projeter leur flux paralysant vers le grand fauve. Ce dernier bondit à la vitesse de l'éclair vers l'ennemi et terrassa plusieurs d'entre eux de ses griffes acérées.

Le courage de Kündo donna à Will un répit salutaire. Il releva la tête et vit son petit frère, devenu ce grand félin, qui luttait au prix de sa vie afin de les protéger. Mais, l'ennemi trop fort, eut bientôt raison de la bête. Le pauvre Kündo fut terrassé à son tour par les nombreux tirs provenant des sceptres des Mirgödes venus en renfort et le lion s'effondra lourdement. Allongé sur le sol devant Will, Kündo lâcha un dernier rugissement puis perdit connaissance sous le regard tétanisé de son grand frère.

Une voix mystérieuse résonna soudain dans le cœur du jeune forgeron: «Relève-toi Will Ghündee! Montre-leur que tu es le digne porteur du titre d'Élu du Grand Esprit!»

Will sentit ses forces revenir peu à peu. Il réalisa avec horreur qu'il venait de perdre son petit frère

aimant et sans doute sa bien-aimée toujours inconsciente depuis l'attaque sournoise de Melgrâne.
En véritable héros, il se redressa, ramassa son épée
puis, tel un guerrier automate, il fixa ses ennemis
d'un regard vide de toute émotion.

Melgrâne vit alors la physionomie de Will se
transformer brusquement. Ses yeux brillèrent soudain d'une lueur d'un blanc pur. Le vil souverain
put sentir la colère qui bouillonnait en lui tel un
volcan sur le point d'entrer en éruption.

Will fixa son ennemi sans crainte, conscient des
changements surnaturels qui se produisaient à l'intérieur de son corps. Il se concentra et dirigea
toute cette force nouvelle vers son plexus solaire,
siège de ses pouvoirs. Son torse se mit alors à briller de nouveau d'un rouge vaporeux. La lueur
oscillait au rythme des battements de son cœur
tout comme la pierre divine à son cou.

D'une voix dépourvue de toute émotion, Will
fusilla du regard Melgrâne en disant :

— Maintenant, préparez-vous à payer pour vos
crimes !

— Gouak, Lakouak ! s'écria Ozlark à l'intention de ses mutants tandis que Melgrâne reculait d'un pas nerveux devinant que son acolyte venait de donner l'ordre d'abattre l'intrus sur le champ.

Aussitôt dit, les mutants commencèrent à projeter vers Will leurs rayons laser mortels en le fixant de leurs yeux reptiliens jaunâtres. Mais, une chose incroyable se produisit qui tétanisa ses ennemis. Will semblait maintenant capter les rayons dirigés vers lui et les emmagasiner pour ensuite les retourner à ses ennemis.

De ses yeux, sortaient des rayons laser puissants qui percutèrent tous ceux vers qui il tournait la tête. Au bout de quelques secondes, il ne restait plus que Melgrâne et Ozlark, le chef des mutants, qui se tenaient debout, paralysés.

Tel un robot programmé pour détruire, Will s'approcha de Melgrâne qui, devant l'attaque imminente, s'empressa de diriger vers lui ses ondes paralysantes en y mettant toute son énergie. Mais, au lieu de ployer sous l'attaque, son adversaire demeura impassible, planté solidement sur ses deux jambes.

Sans qu'il ait eu le temps de reculer, le vil souverain Mirgöde fut foudroyé par le regard de Will qui lui retourna ses ondes dévastatrices. Melgrâne goûtait maintenant à sa propre médecine. Le combat fut intense et au bout de quelques secondes le Mirgöde dut plier les genoux tant le flot dirigé vers lui était puissant. Il tomba au sol terrassé par la douleur.

Comprenant qu'il n'aurait pas le dessus sur Will, Ozlark, le chef des mutants, s'enfuit dans les souterrains préférant laisser les Mirgödes qui venaient de rappliquer, s'occuper de ce surhomme.

Fidèles à leur maître et désireux d'en finir avec ce trouble-fête, les nouveaux venus dirigèrent vers Will de nombreux tirs qui furent contrés par l'épée du Grand Esprit alors que son porteur continuait de fixer Melgrâne jusqu'à ce que ce dernier rende son dernier souffle. Le jeune forgeron, dans un ultime effort, tourna son regard vers les Mirgödes encore debout et les foudroya à leur tour.

L'affrontement fut si éprouvant qu'il s'effondra, vidé de son énergie vitale et perdit connaissance.

Quelques minutes plus tard…

— Will réveille-toi! Willlll! criait Catherine en le secouant.

Sous les gestes répétés de Catherine, celui-ci reprit connaissance peu à peu. Lorsqu'il ouvrit les yeux, il vit le visage de sa bien-aimée ruisselant de larmes. Bien que Catherine s'adressât à lui, il ne détecta aucun son.

Puis, peu à peu il recouvra l'ouïe et sentit ses forces revenir; même les multiples brûlures qu'il avait subies lors du combat avaient disparu. Avec soulagement, il entendit à nouveau la voix de sa bien-aimée.

— Will! Réveille-toi!

— Catherine! Tu es vivante! Dieu merci!

— Vite, Will! Kündo est au plus mal… Je t'en prie, fais quelque chose! Ils l'ont presque tué, pleura Catherine, dans tous ses états.

Will se releva et se rendit au chevet de son petit frère qui avait repris l'aspect d'un jeune garçon. Il respirait faiblement et demeurait inconscient. Kündo portait les marques des graves blessures faites par les mutants auxquels il s'était attaqué.

— Hé ! Petit frère ! Reviens ! On est là ! fit Will, les yeux inondés de larmes. Reviens parmi nous, je t'en prie ! On va te soigner et tout ira bien.

La voix de son grand frère eut un effet revitalisant sur Kündo qui ouvrit les yeux et vit ses amis penchés au-dessus de lui.

— Will… pardonne-moi. J'ai fait… ce que… j'ai pu, mais… ils sont… trop forts ces mutants.

— Nous les avons battus grâce à toi petit frère ! l'encouragea Will. Allez ! Je te ramène à la maison.

Mais, lorsqu'il prit Kündo dans ses bras et se releva, celui-ci ferma les yeux à nouveau en murmurant :

— Catherine… veille sur lui.

— Non ! Petit frère, reste avec nous ! s'écria Will en levant les yeux vers la voûte rocheuse comme pour implorer l'aide du Grand Esprit.

Malheureusement, il était trop tard pour Kündo… Sa tête retomba mollement au creux des bras de Will. Ce dernier eut à peine le temps de déposer un baiser sur le front de son petit frère que ce dernier disparaissait comme l'avait prédit Gaël.

— Non! pleura Catherine, terrassée par la mort de Kündo, en se logeant dans les bras de Will.

À cet instant Will sentit son cœur devenir dur comme une pierre. Il essuya une larme, attrapa la main de Catherine et partit à la recherche des prisonniers avec le but bien arrêté de les libérer et de détruire cette maléfique machine aperçue plus tôt. Pour cela, il était prêt à éliminer tous ceux qui oseraient se mettre en travers de son chemin.

Catherine suivait Will, le cœur gros. De temps à autre, elle lui jetait un regard, mais, depuis la mort de Kündo, son bien-aimé s'était muré dans un tel mutisme que son visage était devenu dur et impassible. Affamés, n'ayant rien mangé depuis leur arrivée à Moulinvert, ils disparurent dans les entrailles de la Terre à la recherche des prisonniers qu'ils espéraient encore vivants…

16

LIBERTÉ RETROUVÉE

Au terme de deux heures d'exploration prudente à travers les dédales des souterrains humides et poussiéreux, Will et Catherine aboutirent dans un couloir aux multiples stalactites rosées. Au bout de ce dernier, ils virent se dessiner une nouvelle grotte où les envahisseurs avaient creusé plusieurs cellules n'ayant apparemment aucune porte visible.

Au fond de celles-ci, Will vit des gens, qui semblaient endormis, étendus sur le sol. Désireux de les aider, il se précipita vers eux, Catherine sur ses talons. Dans son empressement, il en oublia la paroi invisible et se heurta violemment contre elle.

— Groaaah! grogna Will, frustré plus par son manque de vigilance que par la douleur.

Les prisonniers, au nombre de dix par cellules, s'éveillèrent en voyant un des leurs s'aplatir contre la cloison de verre. Une certaine fébrilité s'installa parmi eux à l'idée qu'une âme charitable vienne les libérer. Will, un peu sonné, se ressaisit et fit signe aux détenus de se calmer pour ne pas risquer d'alerter les gardes.

À cet instant, les prisonniers se mirent à grimacer et à s'agiter en lui faisant de grands signes. En se retournant, Will et Catherine virent deux mutants, qui faisaient leur tour de garde, s'approcher de façon menaçante, sceptre en main.

Will se planta devant Catherine et absorba avec son épée les rayons que les mutants lancèrent dans sa direction. Voulant protéger coûte que coûte son amie, il recula lentement avec elle vers une aspérité rocheuse derrière laquelle Catherine put se réfugier.

— Quoi qu'il arrive ne bouge surtout pas, lui intima Will d'une voix autoritaire.

Il n'était pas question pour lui de perdre un autre être cher.

Sa bien-aimée en sécurité, Will s'éloigna et parvint à attirer les deux cerbères du côté opposé, tout en repoussant les funestes rayons dirigés contre lui.

Les prisonniers inquiets suivaient des yeux le combat en priant pour que le nouveau venu survive à cette attaque meurtrière.

Fin stratège, Will fit un bond de côté et évita les rayons qui percutèrent la porte de verre de l'une des prisons. Ce qui la fit apparaître, puis voler en éclat sous le regard apeuré des prisonniers qui reculèrent et se tapirent dans un coin.

Les deux gardes, enragées, redoublèrent d'ardeur dans leurs tentatives pour neutraliser leur ennemi. Mais, trop pressés d'en finir, ils commirent de nombreuses erreurs dont Will tira avantage. Délaissant leur rayon paralysant qui s'avérait inefficace contre ce diable d'humain qui sautait de partout, ils décidèrent de l'attaquer à l'aide de leur sceptre tranchant. Will qui se méfiait de ces êtres diaboliques, recula lentement, l'épée bien haute, quand soudain, un des prisonniers ramassa un gros caillou qui traînait sur le sol et le lança sur un des gardes qui le pulvérisa aussitôt avec son sceptre. Le geste de bravoure du prisonnier permit à Will de pourfendre cet adversaire en pleine poitrine.

Furieux de se voir privé de son frère d'armes, l'autre cerbère redoubla d'ardeur. Sachant que son laser était inutile contre son adversaire qui repoussait son attaque à l'aide de sa puissante lame, il décida de l'affronter en combat singulier avec son sceptre surmonté d'une faux en diamant.

Une terrible bagarre s'ensuivit durant laquelle Will évita de justesse certains coups vicieux.

— Suffit! s'écria Will. J'en ai assez!

D'un habile coup d'épée, il coupa le sceptre du mutant en deux. Estomaqué, ce dernier se mit à genoux devant son vainqueur pour implorer sa pitié, persuadé d'avoir affaire à un véritable Dieu guerrier.

— Ouvre cette porte et je te laisse la vie sauve! lui intima Will en le foudroyant du regard.

La créature qui semblait décoder le langage humain, se leva et s'approcha des deux autres cellules aux cloisons de verre invisibles. Après un coup d'œil résigné vers Will qui le tenait en garde avec son épée, il allongea le bras sous le regard perplexe des prisonniers et appuya à un endroit précis. Son geste fit aussitôt apparaître la cloison vitrée ainsi qu'un curieux clavier aux multiples touches éclairées par une lueur bleutée.

Surveillée attentivement par son vainqueur, la créature entra un code en tapant sur sept symboles bizarres que Will s'empressa de mémoriser. Le panneau vitré disparut derrière la paroi à la grande joie des captifs qui n'osaient pas sortir de leur prison de peur d'être tués par la créature.

Il répéta le même manège avec le garde devant les autres portes translucides.

— Sortez sans crainte! s'écria Will en poussant leur méprisable cerbère au fond de la dernière cellule qu'il venait d'ouvrir. Les derniers prisonniers se pressaient pour en sortir de peur de rester coincés avec ce monstre hideux. Catherine, les ayant rejoints depuis quelques minutes, s'affairait à soutenir les prisonniers affaiblis.

Une fois ces derniers hors de leur prison, Will s'approcha de la cellule où était enfermé le mutant et lui dit sur un ton mauvais, en le menaçant de son épée:

— Referme cette porte immédiatement ou tu mourras!

Suivant les ordres de celui qui le tenait en garde, le gardien s'approcha et posa la main sur la porte invisible. L'épaisse cloison de verre sortit de son coffre rocheux et termina sa course sur l'autre pan. Alors que Will suivait chacun de ses gestes, le mutant posa la main sur le boîtier de verre situé sur sa gauche. Aussitôt fait, la cloison disparut comme par magie emprisonnant le méprisable geôlier à l'intérieur.

La créature qui croyait son ennemi moins futé que lui, laissa échapper un bruit étrange et lui jeta un regard méprisant, sachant pertinemment qu'il sortirait facilement de sa cage de verre une fois seul.

— Nous verrons bien! lui répondit Will qui avait deviné ses intentions.

La créature fut bien déçue en voyant Will frapper avec la pointe de son épée la paroi invisible. Celle-ci réapparut suffisamment longtemps pour qu'il puisse planter sa lame dans le boîtier commandant l'ouverture. Son geste provoqua une petite explosion le rendant ainsi inutilisable. Devant la ruse de son adversaire, le prisonnier fou de rage laissa échapper un cri sauvage.

Une fois le gardien hors d'état de nuire, Will toujours muet, fit signe à Catherine d'approcher.

Silencieux, les prisonniers ayant assisté à la scène se demandaient qui pouvait bien être ce surhomme. Personne n'osa adresser la parole à Will, sauf un petit garçon aux cheveux bruns bouclés qui, malgré les réticences de son père, s'approcha de lui et dit d'un air candide :

— Qui es-tu étranger ? Un ange envoyé par Dieu pour nous libérer ?

— Non petit ! Je ne suis qu'un humain comme vous et je suis venu pour vous délivrer et vous ramener chez vous.

La réponse de Will provoqua un soupir de soulagement parmi les prisonniers. Celui qui paraissait être le plus âgé du groupe se fraya un chemin jusqu'à son libérateur en lui tendant la main.

— Bonjour jeune homme. Je me présente, Cristobald Larson, maire de Moulinvert. Je tiens à vous remercier de vous être porté à notre secours. Hélas, j'ai bien peur que notre liberté soit de courte durée, déplora le prisonnier à la chevelure grise et au visage rongé par l'inquiétude.

Will qui n'était pas d'humeur à étirer la conversation inutilement lui répondit :

— Moi c'est Will et voici mon amie Catherine. Quoi qu'il arrive restez avec elle.

Puis, s'adressant aux autres prisonniers, il ajouta:

— Ayez confiance! Tout ira bien.

— Nous sommes avec vous! acquiescèrent les prisonniers dociles.

— Savez-vous où sont les autres captifs? demanda Will en regardant les rescapés.

— Là-bas! fit le garçon aux cheveux bouclés en pointant le fond de la grande grotte où l'on pouvait apercevoir d'autres ouvertures taillées dans le roc.

Will reconnut l'enfant qui s'était adressé à lui un peu plus tôt et qui le couvait d'un regard admiratif.

— Suivez-moi. En cas de danger, restez derrière. Ne tentez pas de combattre ces créatures, elles pourraient vous tuer d'un seul rayon de leur sceptre, conseilla Will.

— Bien! Nous vous suivons, fit le maire, soutenu par ses amis et concitoyens.

La petite troupe se dirigea en silence vers le fond de l'immense grotte, redoutant de voir à tout moment surgir d'autres mutants aux intentions hostiles...

17

UN LIEN INDÉLÉBILE

Les prisonniers, inquiets malgré tout, suivaient leur sauveteur en file indienne. Leur tête pivotant dans tous les sens, ils sursautaient au moindre bruit. Mais, depuis l'affrontement avec Melgrâne, les souterrains semblaient déserts.

« Je dois mener à bien cette mission et sauver ces braves gens, quitte à y laisser ma peau », se répétait inlassablement Will.

Plus ils progressaient et plus il se demandait ce qu'il pouvait bien être advenu du chef des mutants. Il redoutait que ce dernier tente de le piéger à la première occasion, mettant ainsi en danger les villageois qu'il venait de libérer.

Quand ils arrivèrent devant une autre cellule, Will compta une dizaine de prisonniers, hommes et femmes, en piteux état. Connaissant maintenant le mécanisme de ces prisons, il planta son épée dans la paroi invisible et vit aussitôt apparaître l'épais mur de verre servant de porte ainsi que le clavier bleuté. Sans hésiter, il y entra le code qu'il avait mémorisé un peu plus tôt. La paroi translucide disparut et les prisonniers sortirent de leur geôle sous le regard bienveillant de Catherine et de leurs concitoyens, heureux de retrouver leurs amis sains et saufs.

Catherine, qui jusqu'à présent était demeurée silencieuse, souffrait beaucoup de voir Will arborer ce visage dur et impassible qu'il affichait depuis la mort de son petit frère. Rien ne semblait l'émouvoir. Elle ne reconnaissait plus son bien-aimé et n'osait même pas le questionner par respect pour son chagrin. Elle le laissa dans son mutisme, se contentant de lui adresser un sourire timide lorsque leurs regards se croisaient.

Will, le visage impassible, regardait les prisonniers défiler devant lui au sortir de leur prison, quand soudain, une jeune femme maigrichonne s'amena vers eux.

Au moment de passer devant son libérateur, elle leva les yeux un court instant. Son regard triste rencontra celui de Will et s'y accrocha quelques secondes. Intrigué par le visage qu'il venait d'apercevoir, ce dernier sentit naître en lui un doute.

Comme c'est curieux... Ce regard... il me rappelle quelque chose d'étrangement familier...

Il suivit des yeux l'inconnue au corps frêle et à la longue chevelure blonde qui s'éloigna d'un pas incertain vers le fond de la grotte, comme si elle savait exactement où aller.

— Will ! Qu'y a-t-il ? demanda Catherine en voyant son amoureux perplexe tout à coup.

Perdu dans ses pensées, Will resta muet à la demande de Catherine et continua de fixer la mystérieuse jeune femme qui marchait vers une cellule où se trouvaient d'autres prisonniers.

Catherine, qui en avait assez de son mutisme, s'écria :

— WILL GHÜNDEE ! Vas-tu enfin te décider à me parler !

Aux paroles de Catherine, l'énigmatique jeune femme s'arrêta net. Doucement, elle se retourna et se mit à fixer Will avec intensité. Puis, elle revint sur ses pas et se dirigea vers son libérateur. Celui-ci vit alors l'expression du visage de la jeune femme changer au fur et à mesure qu'elle approchait. La tristesse céda la place à la consternation. Arrivée à la hauteur de Will, telle une caresse maternelle, elle porta sa main au visage de ce dernier et lui dit les yeux pleins de larmes :

— Mon Dieu ce n'est pas possible ! Je ne rêve pas ! C'est bien toi, mon frère ? Tu es vivant !

Voyant Will figé par tant de familiarité, elle reprit avec plus de vigueur :

— C'est moi ! Élisabeth ! Ta grande sœur ! Tu ne me reconnais donc pas ?

— Éli… sabeth, bredouilla Will encore sous le choc de cette révélation.

Les yeux remplis de larmes, il serra dans ses bras sa sœur aînée qu'il n'avait pas revue depuis treize longues années.

— Tu as les yeux de maman, fit Will d'une voix remplie d'émotions. Je suis tellement heureux de te retrouver.

— Mon petit frère ! Te voilà enfin ! J'ai tellement espéré ce moment... Lorsque j'ai posé les yeux sur toi, ton visage m'a paru familier. Maintenant, je sais pourquoi. Toi aussi tu me rappelles maman. Tu as la douceur de son visage, renchérit l'aînée de la famille Ghündee.

Catherine, demeurée en retrait, assista à ces émouvantes retrouvailles et fut si touchée qu'elle versa une larme de joie, heureuse pour son bien-aimé. Après toutes ces années de souffrances et d'isolement, Will retrouvait enfin un membre de sa famille.

— Mais... que fais-tu ici, chère sœur ? demanda Will qui n'en revenait toujours pas de voir à ses côtés celle qui avait été pour lui une deuxième maman.

— Nous... avons tous été enlevés. Tes frères Ted et Édouard ainsi que ta sœur Lydia sont ici, Will ! Je suis très inquiète pour eux ! Dès l'enlèvement, nous avons été séparés et je n'ai eu aucune nouvelle d'eux depuis ce terrible jour.

— Jeune homme! Si je comprends bien, vous êtes le fils d'Herman, intervint le maire Larson en s'approchant.

— Oui monsieur! fit Will avec un brin de fierté dans le regard.

— J'ai connu votre père et votre mère. C'était des gens bien et de bons amis! Mon épouse et moi…, s'interrompit le maire en fondant en larmes.

Will s'approcha, compatissant, et lui mit une main sur l'épaule.

— Désolé, reprit le maire. Mais, je ne sais pas où ils ont amené ma femme et je n'ose même pas imaginer ce qu'ils lui ont fait subir…

— Venez! lui dit Will en exerçant une légère pression sur son épaule. Nous allons la retrouver, je vous en fais la promesse solennelle.

Soucieux de bien faire les choses, Will reprit aussitôt son air responsable.

— Nous allons fouiller chaque cellule et chaque recoin de ces souterrains.

— C'est qu'il y en a des tunnels ici ! s'exclama le petit garçon qui suivait Will depuis qu'il les avait libérés.

— Peu importe ! Nous ne sortirons d'ici que lorsque nous les aurons tous retrouvés, répondit Will avec conviction en lançant vers Catherine un regard qui en disait long sur la joie et l'espoir qui inondaient maintenant son cœur.

Les dizaines de prisonniers se dirigèrent prudemment vers les autres cellules. Dès qu'Élisabeth fut devant l'une d'entre elles, un cri aigu se fit entendre, accompagné de pleurs de joie.

— Will ! C'est Lydia ! Ted et Édouard ! Ils sont là ! jubila Élisabeth qui avait peine à retenir ses larmes.

Will s'empressa d'ouvrir la prison de verre afin de libérer les pauvres prisonniers ?

— C'est Will ! Notre petit frère ! s'exclama Élisabeth. Il est venu jusqu'ici pour nous libérer !

— WILL ? s'écrièrent ensemble les membres de la fratrie.

Entourant leur benjamin, devenu plus grand et plus costaud qu'eux, ils retrouvèrent leur joie de vivre en serrant tour à tour dans leur bras un Will ému. À la fin, ils arboraient un regard lumineux d'avoir vécu de si belles retrouvailles.

Will, remis de ses émotions, leur présenta Catherine, sa fidèle complice. Puis, il se tourna vers sa bien-aimée et lui dit sur un ton solennel :

— Catherine… Quoi qu'il arrive, promets-moi que tu resteras toujours avec eux, et ce, jusqu'à ce qu'ils soient tous en sécurité à Moulinvert.

— Promis, Will ! acquiesça-t-elle.

— Will ! Il manque encore madame Larson, la femme du maire, les Stevenson, les Yohanson et les McBee. On doit les retrouver.

— Arrête de t'inquiéter, Élisabeth ! Je te promets que nous allons les retrouver. Vous tous, suivez-moi ! Il y a assurément d'autres cellules quelque part.

La petite troupe sortit de l'immense grotte et se dirigea vers un tunnel tapissé de petites ouvertures. C'est avec émotion qu'ils retrouvèrent les prisonniers manquants. Le village de Moulinvert au grand complet venait d'être libéré. Mais, la partie était loin d'être gagnée. Il restait à trouver le moyen de sortir de ce labyrinthe et de regagner la surface.

18

L'ÉPREUVE DE FORCE

Dans la grotte aux multiples cellules, Will ne percevait plus le bourdonnement qui lui était devenu familier. Mais, au fur et à mesure de leur progression, le son lui parvint à nouveau, quoique très faiblement. À la fin du tunnel, ils débouchèrent devant deux passages. L'un débutait par une montée et l'autre descendait encore plus profondément dans les entrailles de la Terre.

Will hésita un instant, ne sachant lequel emprunter. Les rescapés eurent le réflexe de se diriger vers le tunnel ascendant. Mais, instinctivement, Will fit le choix contraire et les convainquit de prendre celui qui descendait.

Malgré leur hésitation, ils acceptèrent de suivre celui qui, jusqu'à présent, les avait tirés d'affaire et entreprirent la descente à sa suite. Will ne s'était pas trompé, le bourdonnement s'intensifiait au fur et à mesure qu'ils progressaient. Ce qui le conforta dans son choix.

Comme le coureur des bois qui suit le ruisseau pour remonter jusqu'à la rivière, Will se laissa guider par le bourdonnement et s'en trouva bien, car ils aboutirent bientôt dans un passage qui donnait accès à la salle où se trouvait le vaisseau mère.

— Attention ! s'écria Catherine, en poussant les prisonniers se trouvant près d'elle alors qu'un puissant rayon les frôlait et vint percuter une des parois, provoquant l'effondrement d'une partie du plafond.

Dès que la poussière fut retombée, Will, Catherine et quelques-uns des prisonniers remarquèrent l'absence de certains des leurs, bloqués derrière les éboulis.

— Est-ce que ça va ? demanda Will. Y a-t-il des blessés !

— Tout va bien ! Rien de trop grave ! répondit une voix lointaine.

— Très bien, restez calmes ! On va s'occuper de vous.

Mais, avant que Will n'ait eu le temps de faire un geste, ils entendirent des cliquetis.

Après avoir fait signe aux prisonniers de rester à l'abri derrière un tas de pierres, Will s'avança lentement, son épée bien haute, jusqu'à l'ouverture du tunnel.

Dès qu'il sortit la tête, un autre rayon lui frôla le visage et percuta, derrière lui, une grosse pierre qui vola en éclat.

— Will! Laisse-moi t'aider, lui dit Catherine en exhibant son bracelet duquel s'échappaient de petits arcs lumineux.

— Je ne sais pas… C'est risqué! Je ne voudrais pas qu'il t'arrive malheur, s'inquiéta Will en posant un baiser rapide sur le front de sa bien-aimée.

— Tu n'imagines même pas tout ce que je peux faire avec ce bracelet, réitéra Catherine.

— Bien! Mais sois très prudente, ça risque de barder, prévint Will en retraitant avec ses amis aux abords du passage.

Catherine qui voulait lui démontrer l'efficacité du bracelet de Gaël, tendit le bras et passa devant son compagnon. Alors qu'il avançait vers l'ennemi, un peu en arrière de Catherine, Will vit une aura lumineuse s'installer autour d'eux, comme une grosse bulle aux reflets chatoyants. Les mutants qui les attendaient de pied ferme firent pleuvoir sur eux leurs rayons destructeurs ainsi qu'une nuée de petites flèches acérées. À la surprise de Will, toutes les attaques furent déviées par le bouclier généré par le bracelet de Catherine.

— Cher Gaël! Il savait ce qu'il faisait en te confiant cette arme redoutable, s'exclama Will avec un clin d'œil complice.

Les mutants déstabilisés par le bouclier de Catherine et l'épée éblouissante de Will n'eurent d'autre choix que de retraiter vers un autre passage dans lequel ils s'engouffrèrent et disparurent en poussant des cris aigus.

« Vovovoum, vouvoum, vovovoum, vovoum… »

— Will tu as vu ça? fit Catherine alors qu'ils arrivaient près de l'endroit gardé par les mutants ayant pris la poudre d'escampette.

— Oui, je connais cet endroit et nous ne devons pas entrer dans cette salle. Lors de ma dernière incursion dans ce secteur, je me suis fait piéger par un champ magnétique puissant provenant du plancher.

— Et c'est quoi cette énorme sphère et le vrombissement qu'on entend? demanda Catherine.

— C'est ce qui leur permet de pomper l'énergie du noyau terrestre. C'est étrange, mais le bruit est différent de celui que cette machine faisait lorsque je l'ai vue la première fois, remarqua Will.

Il n'en fallut pas plus à Catherine pour tirer ses propres conclusions.

— Tu crois qu'elle est sur le point d'achever sa mission et qu'elle va bientôt s'envoler? suggéra-t-elle à Will en lui lançant un regard complice.

— J'en mettrai ma main au feu, laissa tomber celui-ci en pensant à l'avenir de leur monde. Je n'ai pas le choix, Catherine. Je dois absolument inverser le processus et détruire cette chose avant qu'elle ne reparte d'ici.

— Mais Will! Tu risques d'y laisser ta peau, protesta Catherine, inquiète.

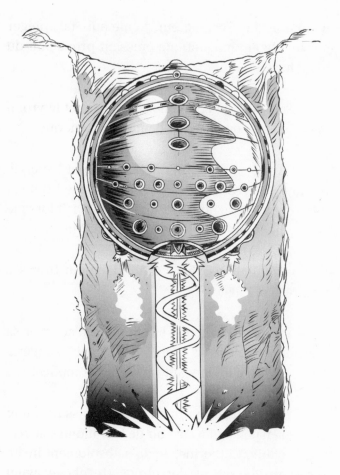

— Je dois le faire! Je suis venu ici pour ça, trancha Will. Viens! Nous allons raccompagner les prisonniers jusqu'au passage qui mène à la surface.

Catherine qui entrevoyait le pire pour son bien-aimé, s'il s'entêtait à vouloir détruire cette machine infernale, fit une dernière tentative afin de le dissuader. La gorge nouée par l'émotion et les yeux remplis de larmes, elle insista.

— Mais Will… Je ne peux pas te laisser faire ça! Que vont devenir tes frères et sœurs si tu… meurs?

Will qui n'avait nulle intention de laisser sa bien-aimée, ses frères et sœurs et tous les autres prisonniers mourir à mille lieux sous terre, attrapa la main de Catherine, la regarda droit dans les yeux et lui répondit, en affichant un calme olympien:

— Tout ira bien… Je t'en fais la promesse.

Revenu au point de départ, Will, aidé de ses frères, s'employa à dégager le tunnel obstrué par les grosses pierres tombées lors de l'effondrement.

— WOW! Ce que tu es devenu fort! lâcha Édouard, le plus vieux des frères de Will, en voyant ce dernier soulever avec rapidité des pierres énormes.

— Ouais! Il est même plus fort que p'pa. Regardez-le aller! renchérit Ted, émerveillé.

— Bah! Ça, c'est le résultat de mon passage à la ferme de l'oncle Tom. J'y ai travaillé comme un forcené et c'est la seule chose positive que j'ai gardée de cette époque, ironisa Will.

Élisabeth qui peinait à soulever les gros cailloux regardait son cadet avec fierté.

— Papa et maman seraient tellement fiers de toi s'ils te voyaient petit frère!

Lorsqu'une bonne partie du passage fut dégagée, ils se butèrent à un rocher aussi gros qu'eux qui s'était détaché de la paroi lors de l'explosion et qui l'obstruait presque entièrement, ne permettant qu'aux enfants de se faufiler sur un des côtés. Les adultes toujours coincés derrière tiraient sur le mastodonte aux arêtes coupantes, afin de le faire basculer hors du passage, mais c'était peine perdue.

— Reculez! cria Will à l'intention des villageois toujours coincés de l'autre côté.

Déterminé à libérer le passage, Will fixa le rocher quelques secondes, respira un bon coup, puis posa ses deux mains de chaque côté.

— Hé! Frangin! Tu plaisantes! fit Ted. Tu n'arriveras jamais à déplacer ce monstre!

— Ouais, il a raison, renchérit Édouard. N'y pense même pas! C'est inhumain!

— Je suis d'accord avec vous. Mais, votre frère a la tête aussi dure que ce rocher et, s'il croit qu'il peut le faire, il y arrivera, renchérit Catherine avec un sourire confiant.

Sous le regard sceptique de tous, Will se mit à forcer. Sur le moment, rien ne se produisit, à part son visage qui devint rouge écarlate.

— Grrrrouah! lâcha-t-il en resserrant sa prise sur le mastodonte alors que les veines de son cou et de ses avant-bras se gonflaient à bloc et que du sang apparaissait entre ses doigts.

Après quelques minutes à forcer comme un damné, le gros caillou commença à bouger doucement. Puis, alors que quelques gouttes de sang commençaient à perler à son nez, Will, poussa un autre cri rauque et parvint à faire rouler la pierre de côté au grand étonnement des villageois qui le regardaient, admiratifs.

Après avoir été témoins d'un tel exploit, il ne subsistait aucun doute dans leur esprit. Le Tout-Puissant avait entendu leurs prières désespérées et leur avait envoyé ce jeune forgeron aux dons extraordinaires. Dans un curieux cérémonial tous défilèrent en silence devant Will et lui touchèrent l'épaule ou le bras en signe de remerciement, confiants à présent de pouvoir sortir vivants de cet endroit infernal et de regagner leur village. Will qui ne recherchait aucunement la gloire fut touché par ces gestes empreints d'un profond respect. Il comprit alors la raison pour laquelle Gaël, dans sa grande sagesse, avait tant insisté pour qu'il accomplisse cette nouvelle mission.

— Bon! Maintenant si on y allait, proposa Will pour briser le silence.

— On te suit frérot, lâcha Édouard, après avoir rapatrié tous les survivants ainsi que certains éclopés qui avaient plus de peine à marcher.

19

UN CHOIX DÉCHIRANT

Après une heure à déambuler dans le labyrinthe rocailleux creusé par les envahisseurs, la petite troupe arriva finalement à l'endroit où Will et ses amis avaient atterri et qui constituait la seule issue vers l'extérieur.

— Nous y voilà! fit Will en jetant un coup d'œil furtif vers le haut.

— Mais… comment allons-nous sortir d'ici? demanda un des villageois, inquiet, en levant la tête vers l'unique sortie.

— Ouais! C'est impossible! fit un autre. Vous avez vu la distance qu'il y a jusqu'à la surface?

— Hum… pour y arriver, il nous faudrait l'un des engins volants avec lesquels ils nous ont enlevés, ironisa Édouard.

— Tu as raison, il nous en faudrait un, répéta Will avec un éclat dans le regard.

— Will! Tu ne vas tout de même pas tenter de faire voler ces trucs-là! s'inquiéta Catherine.

— Non! Mais, j'ai une autre idée. Catherine! Tu m'as bien dit que ton bracelet avait la propriété de te déplacer d'un endroit à un autre si tu pensais très fort à l'endroit désiré? demanda Will.

— Oui, ça fonctionne pour une ou deux personnes, mais là, il est question de tout un groupe…

— Ça vaut tout de même la peine d'essayer! reprit Will, plein d'espoir, alors que tous ceux qui écoutaient leur conversation ne comprenaient strictement rien à leurs propos.

— Mais de quoi parles-tu petit frère, intervint Élisabeth.

— Nous allons tenter quelque chose, mais, pour que ça fonctionne, il faut nous faire confiance, lança Will à l'intention des villageois qui le regardaient découragés par la situation. Je ne vous demande qu'une chose… y croire!

— Tentons le coup! De toute façon, nous n'avons rien à perdre, laissa tomber Édouard à l'intention de ses concitoyens.

Catherine qui dévisageait Will avec scepticisme lui murmura à l'oreille:

— Mais Will… À quoi as-tu pensé en leur disant ça?

— Catherine! Je te rappelle que tu es aux commandes du bracelet. La foi que tu as en lui et les pouvoirs qu'il renferme sont des plus importants, plaida Will en déposant sur ses lèvres son premier baiser depuis leur entrée dans ces lieux sinistres.

— Bien, comme tu voudras. Mais toi, tu viens avec nous, n'est-ce pas?

— Oui, bien sûr! répondit-il.

Puis, s'adressant aux villageois, il déclara, d'une voix où transpirait l'émotion, mais également la confiance:

— Approchez-vous de Catherine. Je veux que tous vous vous teniez serrés et touchiez votre voisin, soit en posant la main sur son épaule, soit en lui prenant la main. Après quoi, fermez les yeux et visualisez intensément vos deux pieds sur la terre ferme, là-haut. Inspirez profondément et remerciez Gaël de vous sortir de cet enfer souterrain.

« Bon, Gaël à toi de jouer ! » pensa Will en levant les yeux au ciel après avoir jeté un regard furtif en direction de Catherine.

— Qui c'est, Gaël ? demanda une petite voix.

Will se pencha vers l'enfant.

— Gaël est un ange envoyé par le Très-Haut pour m'aider à vous libérer de cet enfer sous terre. Mais, pour que sa magie opère, tu dois y croire de tout ton cœur et souhaiter regagner la surface. Maintenant, tiens la main de ta maman et ferme les yeux.

Lorsque tous les villageois furent regroupés et prêts à obéir aveuglément, Will toucha la pierre de la déesse Aurora. Le temps d'un flash, il entendit l'écho de la prophétie reçue dans la forêt :

« Quoi qu'il puisse survenir, Willlllll… ne perds jamais espoir, caaaarrrrr derrière l'épreuve se cache souvent le saluuuuuut… Bientôt, très bientôôôt…

tu auras un choix déchirant à faaaaaire… Alors seulement, tu comprendraaaaaaas…»

Will réalisa soudain qu'il était temps pour lui de faire ce choix et que le salut de tous ceux qu'il aimait passait par son propre sacrifice. Il devait rester dans ce trou sinistre et détruire la maléfique machine.

Gaël mon ami… je t'implore de sauver Catherine, ma famille et tous ces gens. Libère-les de cet enfer… En retour, je te promets solennellement de terminer cette mission, et cela, peu importe ce qu'il adviendra…

À cet instant, le torse de Will se mit à briller intensément. La vive lumière qui sortit de sa poitrine alla percuter le bracelet de Catherine, déjà étincellant depuis qu'elle avait fermé les yeux. Soudain, une bulle lumineuse enveloppa les villageois qui, confiants, les yeux clos, priaient à voix haute.

Il y eut une formidable explosion de lumière, toute la petite troupe fut entourée d'un grand halo éblouissant et, tout à coup, disparut.

Quelques secondes plus tard…

— Ça a fonctionné ! s'écrièrent ensemble Édouard et ses concitoyens en ouvrant les yeux, à leur réapparition là-haut, les deux pieds sur la terre ferme.

— Wiiiiiiiiiiiiill ! On a réussi ! s'exclama Catherine, folle de joie.

Will lui, demeurait très sérieux. Puis, avec un demi-sourire aux lèvres, il s'approcha de ses frères et sœurs et, à tour de rôle, les serra très fort dans ses bras.

Lorsque Catherine vit Will venir vers elle, elle comprit à son expression qu'il s'apprêtait à lui dire quelque chose qu'elle ne voulait surtout pas entendre.

— Catherine... Tu te souviens ce que tu m'as promis lorsque nous étions sous terre ?

— De ramener ta famille en toute sécurité. Oui, je sais, mais…

— Chut… ne dit rien ! coupa Will en la serrant très fort dans ses bras, tentant ainsi de la calmer, alors qu'elle s'était mise à trembler de tout son corps.

Après quelques secondes, il la regarda dans les yeux et lui dit:

— Je sais que tu n'es pas d'accord et que tu voudrais me suivre. Mais, tu ne peux pas! Je dois y retourner seul et détruire cet engin diabolique. Notre planète se meurt, Catherine, et si je ne fais rien, nous sommes tous voués à l'extinction. Tu le sais aussi bien que moi… je dois y retourner! Gaël nous a prévenu des terribles conséquences, termina Will dont les yeux s'emplirent de larmes en voyant le chagrin de celle qu'il aimait.

Résigné, il lâcha les mains de Catherine, tourna les talons et se jeta en chute libre dans le gouffre, sa pierre du Guibök à la main, souhaitant de tout cœur réapparaître dans le passage menant à la grotte où se trouvait le vaisseau mère.

— Nooonnnn! s'écria Catherine, en s'effondrant, le corps secoué de sanglots. Pourquoi, Will?

La jeune femme fut aussitôt entourée par les frères et sœurs de Will qui ne comprenaient pas pourquoi le benjamin de la famille n'était pas resté avec eux.

Malgré tout ce monde autour d'elle, Catherine demeurait inconsolable. Puis, dans sa tristesse, elle se souvint de la promesse faite à Will, un peu plus tôt. Elle leva les yeux et vit l'incrédulité sur le visage des rescapés devant ce revirement de situation. Elle se fit un devoir de leur expliquer la dangereuse mission que Will devait accomplir avant de quitter les souterrains pour de bon.

— Dans ce cas, nous resterons ici tant et aussi longtemps que notre petit frère ne sera pas sorti de là-dedans! déclara Élisabeth, appuyée par les autres membres de la famille et l'ensemble des villageois.

— Non mes amis. Je ne crois pas que ce soit le désir de Will. Son plus grand souhait c'est que vous regagniez Moulinvert sains et saufs. Il y a déjà trop longtemps que vous êtes en exil. Croyez-moi, j'apprécie votre solidarité, mais je l'attendrai seule. Will saura s'en sortir. Il en a vu d'autres, leur dit Catherine pour les rassurer.

À contrecœur, les villageois prirent la direction du village. Tous, sauf les frères et sœurs de Will qui refusèrent obstinément de quitter les lieux, se contentant de s'éloigner du précipice en compagnie de Catherine pour se mettre à couvert en attendant le retour de leur courageux petit frère.

— Will ! Reviens-moi ! Je t'en prie…, sanglota Catherine en réalisant soudain qu'elle risquait de ne plus jamais revoir son bien-aimé si cette ultime mission tournait mal...

20

UN REVENANT

Quelque peu ébranlé par le voyage de retour, Will constata, en ouvrant les yeux, qu'il était à nouveau sous terre, à l'endroit désiré. Alors qu'il allait repartir vers le vaisseau noir, une étrange lueur prit forme devant lui, illuminant le tunnel. Après quelques secondes, Gaël apparut, mais comme une silhouette vaporeuse presque transparente. Tel un spectre, il flottait devant lui comme s'il n'arrivait pas à se matérialiser complètement en ces lieux malsains.

— Willllll! Mon ami! Je suis tellement fier de toi! Tu as accompli de grandes choses. Toutefois, je ne te le cacherai pas, le plus dur reste à faire... Tu dois détruire cet engin funeste afin de sauver ton univers. Mais, prends garde au piège qui te guette. Si tu es très prudent, tu sauras l'éviter et en sortir vainqueur. Une fois de plus, le Grand Esprit t'envoie sa force, assura Gaël en laissant fuser vers

Will une douce lumière qui l'inonda de la tête aux pieds et sembla calmer ses appréhensions.

— Gaël! Sois franc avec moi. On ne me laissera jamais en paix n'est-ce pas? demanda Will en songeant au Grand Esprit et aux responsabilités que ses pouvoirs lui conféraient.

— Effectivement, en tant qu'Élu du Grand Esprit, de grandes responsabilités t'incombent, Will. Mais, peut-être qu'un jour…

— Ça va. Ne te fatigue pas. J'ai compris! fit Will avec résignation. Il vaut mieux pour moi que je ne sorte pas vivant de cette mission. Ainsi, mes proches seront à l'abri du danger pour toujours. Je représente une menace pour eux. Ma présence les expose aux attaques d'adversaires cruels, comme ce fut le cas depuis mon retour à Mont-Bleu.

Après un court silence empreint de tristesse…

— Gaël mon ami… promets-moi de veiller sur ceux que j'aime. Et puis… il y a Kündo, je suis si triste pour lui. Je trouve cela injuste! Il ne méritait pas de mourir après toutes les épreuves qu'il a vécues, confia Will avec amertume.

Gaël se contenta de lui sourire, puis il se tourna vers la gauche. C'est alors que Will vit une autre image translucide se préciser à côté de lui.

— Kündo! s'exclama Will en reconnaissant son petit frère.

— Willlll! Je suis avec toi maintenant. Tout comme Gaël, je veillerai sur toi et tes proches. Et Will... merci de tout cœur pour l'amour que tu m'as témoigné en m'adoptant comme un frère véritable! Tu resteras à jamais dans mon cœur. Courage mon grand frère! Va et termine cette mission si importante, insista Kündo en couvant Will d'un regard empli de reconnaissance pour ensuite disparaître à sa vue.

— Merci Gaël! fit Will, encouragé. Je suis rassuré, et je sais ce qu'il me reste à faire.

— Aie confiance Willlll! Nous sommes avec toi, termina Gaël en faisant un signe de tête approbateur pour ensuite disparaître à son tour, laissant Will seul à des kilomètres sous la surface de la Terre.

Plus que jamais déterminé à en finir avec cette machine infernale, Will partit en courant, l'épée au poing, en direction du couloir qui menait à la grotte où reposait la grosse sphère noire.

« Vovovoum, vovoum, vovovoum, vovoum ! »

« D'après le bruit, je ne suis plus très loin », se disait-il juste avant de déboucher à l'entrée de la grotte. Toujours sur ses gardes, il jeta un coup d'œil furtif de chaque côté, mais ne vit rien. Il s'apprêtait à y entrer, quand une goutte de liquide visqueux tomba sur son épaule. Fort de son expérience de guerrier aguerri, Will fit semblant de rien. Puis, brusquement, il tourna la tête vers la voûte rocheuse. Du coup il vit Ozlark et une dizaine de ses sbires accrochés au plafond de la grotte, comme le font les araignées pour piéger leurs proies au moment propice.

— Gouak ! Lakouak ! s'écria Ozlark à l'intention de ses mutants en se laissant tomber à côté de Will.

L'attaque aussitôt lancée, les mutants lui tombèrent dessus à bras raccourcis avec leurs rayons laser et leurs sceptres transformés en épées, afin de l'empêcher d'atteindre la salle où se trouvait le vaisseau mère.

Un terrible combat s'ensuivit durant lequel Will alla puiser une fois de plus dans ses dernières réserves. Complètement épuisé, il fit appel aux pouvoirs protecteurs accordés par le Grand Esprit. Il foudroya du regard tous ceux qui le serraient de près et lança dans les airs, comme de vulgaires poupées de chiffons désarticulées, les mutants à sa portée. Certains, apeurés par son impressionnante force physique, détalèrent dans les souterrains adjacents. Après quelques minutes, ils avaient tous disparu, sauf Ozlark, leur souverain.

Le chef des mutants, rendu furieux par l'effondrement de son plan et la désertion de ses troupes, se planta à l'entrée de la grotte, prêt à protéger, au péril de sa vie, le vaisseau mère sur le point de terminer son funeste chargement.

Ozlark fixa Will avec rage et se mit à déblatérer des paroles incompréhensibles. Plus il s'emportait, plus son torse devenait rouge écarlate comme une outre sur le point d'exploser. Ses yeux reptiliens virèrent soudain du jaune au rouge vif à la grande surprise de Will qui se préparait mentalement à livrer un rude combat.

L'air menaçant, Ozlark s'avança vers Will qui ne le lâchait pas du regard, prêt à esquiver toute nouvelle attaque. Mais, sans avertissement, celui-ci reçut en pleine poitrine, un puissant rayon projeté par les yeux d'Ozlark. Il encaissa le terrible choc dont l'impact provoqua une explosion de lumière éblouissante. Croyant avoir terrassé son adversaire, Ozlark le maléfique vit, avec effroi, l'aveuglante lumière aspirée par le torse de Will, ressortir aussitôt par ses yeux, teintés d'un blanc très pur, pour ensuite filer à la vitesse de l'éclair dans sa direction.

Avant même de réaliser ce qui se passait, le rayon l'atteignit de plein fouet, le tuant net. Aussitôt, sa dépouille se dématérialisait et disparaissait...

Will, soulagé d'avoir anéanti le chef des forces obscures, sentit que le moment était venu de passer à la phase finale de son plan de destruction.

« Vovovoum, vovouvouvoum, vovovoum, vovouvouvovoum ! »

Le bourdonnement s'était fortement amplifié depuis son entrée dans la grotte. Il comprit alors l'urgence de la situation.

Mais... comment vais-je pouvoir désactiver cet engin de malheur et inverser le processus destructeur sans tomber à nouveau dans le piège magnétique ?

Will pénétra aussitôt dans la grotte où reposait la gigantesque sphère noire. Il vit alors une multitude de petits rais lumineux filtrer par les fentes du fuselage, comme si la sphère avait atteint sa pleine capacité de chargement et s'apprêtait à décoller.

« Je dois me méfier du piège magnétique », pensa Will en refaisant le même parcours qu'auparavant, mais en prenant soin, cette fois, de s'immobiliser avant d'atteindre l'endroit où le piège s'était déclenché la première fois.

En se penchant lentement il vit deux petites sphères qui clignotaient et flottaient en apesanteur à quelques centimètres de la coque du vaisseau.

« Les voilà ces fichues sentinelles qui m'ont donné tant de fil à retordre. Je dois les détruire et vite ! » songea Will en entendant un curieux déclic et une soufflerie s'activer.

« Allez ma fidèle compagne ! Tu dois m'aider », pensa Will en regardant son épée.

Tel un javelot, Will lança son arme sur l'une des deux petites sphères qui explosa instantanément. Il ordonna aussitôt à sa fidèle épée de revenir.

— Bon! En voilà une qui ne me causera pas d'enn…

Mais aussitôt, la seconde sphère vint se placer à l'endroit exact où planait la première.

— Grrrroaaah, fichue machine! fulmina Will déjà prêt à répéter son exploit afin de libérer défi-nitivement le passage.

« VOUOUOUOUMM! VOOOOOOOMM! »

— Grand Dieu! Il faut faire vite. Cette chose va repartir! paniqua Will. Je dois la détruire avant qu'elle ne mette les voiles.

« Calme-toi Will Ghündee! Ce n'est pas le temps de paniquer. Tu dois avant tout te débarrasser de cette fichue sentinelle », se sermonna-t-il pour se ressaisir.

Après avoir pris une grande inspiration et mal-gré une main tremblante, Will visa la deuxième sphère qui explosa à son tour.

Bon, maintenant trouvons la porte d'entrée de cet engin diabolique.

« VOUOUOUOUMM, VOOOOOOOMM, SCHLACK ! »

— Vite ! Pas de temps à perdre ! Il me faut absolument trouver cette porte avant qu'il ne soit trop tard, s'exclama Will en voyant l'énorme tige lumineuse, qui fouillait le noyau central de la Terre, se rétracter dans le ventre de la sphère.

Il parcourut visuellement le dessous de l'engin à la recherche d'une porte. Finalement, il découvrit un sas duquel émergea un fort rayon de lumière. Avec la pointe de son épée, il tenta de forcer le mécanisme d'ouverture, mais, à son grand désespoir, rien ne se produisit.

« C'est fichu ! Je vais être contraint d'abandonner », pensa Will.

Découragé, il rangea son épée d'une main et s'appuya de l'autre sur le vaisseau, épuisé par tout ce qu'il venait de vivre.

« Hiccckkkkkk, schlik ! »

Au contact du métal noir, sa main devint rouge vif et Will vit le sas s'ouvrir. Par un heureux hasard, il l'avait posée sur le boîtier d'ouverture qui semblait fonctionner avec la température de son corps.

— C'est pas croyable! Quelle chance! Merci Grand Esprit! jubila Will en voyant la porte béante devant lui.

Il entra dans le vaisseau, sans perdre une seconde. À l'intérieur, il repéra la pièce munie d'une console où s'alignaient des boutons avec d'étranges inscriptions.

— Grand Dieu! Je n'ai aucune idée du fonctionnement de cette machine. Je ne sais absolument pas comment arrêter ce fichu vaisseau, pesta Will furieux.

Jamais auparavant il ne s'était senti si démuni. Alors qu'il cherchait une solution, il sentit un vrombissement sous ses pieds et le grand tableau de bord commença à s'éclairer d'une douce luminosité, semblable à celle aperçue sur les portes des prisons.

— Boff! Qui ne risque rien n'a rien!

Prêt à tenter le tout pour le tout, il entra le code qu'il avait mémorisé au moment de libérer les prisonniers.

« Bvuuuummm… »

— Wow ! jubila Will en constatant que le bruit de la machine régressait.

Sa joie fut toutefois de courte durée, car à peine quelques secondes plus tard, le tableau de bord s'emballait de nouveau et le vaisseau s'ébranlait comme s'il était sur le point de décoller.

— Ah non ! Imbécile que je suis ! je viens d'entrer le code de décollage ! maugréa-t-il.

Dans un geste désespéré, il sortit son épée et, après avoir suplié le Grand Esprit de lui venir en aide, il la planta violemment dans le tableau de bord et ferma les yeux.

Sous l'impact, le grand panneau vitré se mit à clignoter rapidement. Puis, au grand désespoir de Will, la sphère se mit à vibrer de plus en plus fort…

— *Tout va exploser ! Il faut que je sorte d'ici au plus vite !*

Au moment où il sortait du vaisseau, il vit la longue tige lumineuse qui servait d'extracteur d'énergie, redescendre brusquement vers le noyau terrestre.

Il était trop tard pour tenter quoi que ce soit. Pris de panique, Will se lança à toute allure vers le tunnel par où il était entré, quand soudain…

« BOUMMMMM ! »

21

SECOND DÉPART

— Hé! Vous avez entendu cette explosion? s'écria Édouard affolé.

«BOUMMMM!»

— Oh! encore! s'écria Tim alors qu'une muraille de flamme d'une dizaine de mètres de haut s'échappait du gouffre où Will avait plongé. Simultanément, deux autres cratères se formèrent et crachèrent des gerbes de feu qui furent étouffées par le sol qui s'effondra ensuite, bloquant le passage avec des tonnes de terre.

Catherine regarda le spectacle avec horreur comprenant que Will était resté coincé là-dessous. Une grande tristesse la submergea et ses yeux s'emplirent de larmes à l'idée qu'elle ne reverrait plus son bien-aimé.

— Notre petit frère a réussi! s'écria Tim. Venez! Nous allons le chercher.

— Malin comme il est, Will est sûrement sorti de là avant que ça n'explose, ajouta Élisabeth en tentant ainsi de rassurer Catherine qui semblait inconsolable.

Après avoir cherché Will pendant plus d'une demi-journée, ils durent se rendre à l'évidence. Leur héros n'avait pas survécu à l'explosion.

Tous les membres de la petite troupe étaient profondément affligés devant la perte de celui qui s'était sacrifié pour les sauver. Catherine s'effondra une fois de plus. Elle s'était refermée sur elle-même dès l'instant où l'explosion avait eu lieu et, depuis, elle semblait porter sur ses épaules tout le poids du monde.

Résignés, ils décidèrent d'un commun accord qu'il était temps de retourner vers Moulinvert.

Catherine s'isola près de l'endroit qui servirait dorénavant de tombe à Will.

— Jamais je ne t'oublierai…, murmura Catherine avec une tristesse infinie.

Avant de quitter les lieux, elle leva les yeux au ciel et, la rage au cœur, elle arracha son bracelet qu'elle jeta au loin en s'écriant :

— Tout ça, c'est de ta faute Gaël ! Jamais je ne te pardonnerai ce que tu nous as fait subir.

Dès qu'elle eut rejoint la petite troupe, Élisabeth lui tendit la main en signe de réconfort. Sur le chemin du retour, par respect pour Will, ils demeurèrent silencieux, marchant tous d'un pas lourd en direction de la civilisation.

22

LA DISPARITION

Douze ans plus tard…

Le garçon errait dans la forêt depuis maintenant quatre bonnes heures, mais le temps semblait filer à la vitesse de l'éclair.

Deux jours auparavant, par une fraîche matinée d'octobre, il avait quitté la maison familiale, alors que sa mère était encore assoupie. Il savait qu'elle détestait ses escapades, mais, tel un aimant, les forêts l'attiraient immanquablement. Lorsqu'il était sous le couvert des arbres, il se sentait dans son univers et ne craignait rien ni personne.

Il leva les yeux vers la voûte des arbres qui laissait filtrer un rai de soleil…

Je devrais peut-être penser à retourner à la maison avant que mère ne s'inquiète trop de mon

absence et n'ameute tout le village pour partir à
ma recherche.

Mais, au lieu d'être raisonnable, le randonneur solitaire poursuivit un peu plus loin son exploration.

Perdu dans ses pensées, il ne portait pas attention aux bruits environnants, trop occupé qu'il était à ne pas trébucher sur les branches qui jonchaient le sol. Avant même qu'il ne comprenne ce qui lui arrivait, il entendit un grognement peu rassurant. Lorsqu'il leva la tête, il vit à quelques mètres de lui un énorme grizzly qui s'amenait en se dandinant.

Son cœur se mit à tambouriner dans sa poitrine. Il recula doucement en gardant les yeux rivés sur l'énorme quadrupède et en priant pour que ce dernier n'ait pas repéré sa présence. Alors qu'il arrivait sous le couvert des arbres, son pied s'appuya sur une banche morte qui cassa net. Le craquement sonore attira aussitôt l'attention du grand prédateur.

L'ours se retourna et se mit à grogner furieusement en grattant le sol de sa grosse patte, puis s'élança vers cette proie, la gueule grande ouverte, en écumant.

Le garçon, tétanisé par la peur, ferma les yeux. Sa dernière pensée fut pour sa mère.

«Swichhhh!»

Brusquement, un projectile atteignit le grizzly tout près de l'oreille. Apeuré par l'arrivée d'un imposant gaillard et du loup qui l'accompagnait, l'animal repartit en courant à travers bois sans demander son reste.

Le jeune rescapé, encore figé par la peur, n'osait ni bouger ni parler, croyant avoir affaire à un coureur des bois aussi dangereux que le grizzly qui l'avait attaqué.

Voyant la crainte dans ses yeux, l'homme l'aborda d'une voix rude, mais sans aucune agressivité:

— Que fais-tu ici petit? Ignores-tu que ces bois sont dangereux?

Le jeune randonneur ne répondit pas immédiatement, préférant rester prudent face à cet étrange personnage. Impressionné par la stature du mystérieux coureur des bois, il le détailla du regard en se demandant s'il pouvait avoir confiance en ce colosse barbu.

Constatant que le jeune garçon demeurait muet, l'homme poursuivit d'un ton radouci :

— Je te présente mon loup. Il s'appelle Lucky. Tu peux le caresser si tu le désires. Il semble bien méchant à première vue, mais en vérité il est doux comme un agneau.

Le garçon s'approcha doucement du loup et tout en le caressant, il déclara :

— Je me suis perdu m'sieur.

— Quel est ton nom ?

— Euh… Je m'appelle Nathan, répondit le jeune garçon d'un air hésitant, en détournant le regard.

— Hum… Eh bien, Nathan ! Qui que tu sois, je vais te reconduire à l'orée de la forêt. Grand comme tu es, tu sauras bien, ensuite, retrouver ta route, lui dit le coureur des bois qui voyait clair dans son jeu.

— Bah… Vous savez, je ne suis pas très pressé de rentrer, grommela le rescapé à présent rassuré.

— Ah bon ! Et pourquoi ?

— Je m'ennuie à la maison et je ne veux plus y retourner… Moi ce que j'aimerais c'est vivre des aventures dans lesquelles je me sentirais vivant, termina le garçon, le regard brillant alors que son sauveteur l'entraînait en direction des abords de la forêt.

— Des aventures, tu dis! Ah oui! Je connais bien ça…

— Qu'est-ce que vous connaissez là-dedans, vous qui semblez vivre reclus dans cette forêt?

— Humm… C'est vrai qu'à première vue, je ne suis qu'un ermite vivant au fin fond des bois et tout le monde sait qu'en forêt, il ne se passe pas grand-chose, termina l'inconnu.

— Au fait, reprit le garçon, pourquoi vous vivez en ermite?

— Heu…, marmonna le coureur des bois, je crois que tu poses un peu trop de questions, jeune homme. Allez! Marche plus vite et cesse de traîner les pieds sinon, tu vas devoir passer la nuit en forêt et tu n'imagines même pas tout ce que tu pourrais y rencontrer.

— Vous saurez que je ne crains pas les bois. Un jour je serai aussi fort que l'était mon père!

— Ton père! Où est-il?

— Mort! répondit du tac au tac le garçon, un brin amer.

— Désolé pour toi petit.

Alors qu'ils discutaient, tout en marchant d'un bon pas, des appels leur parvinrent…

— Ohé! Il y a quelqu'un? criaient une multitude de voix qui semblaient à la recherche du fugueur.

— Je crois qu'il y a beaucoup de monde qui s'inquiète pour toi, remarqua le coureur des bois.

— Baaah…, grommela le garçon qui commençait à apprécier la présence de son sauveteur.

— C'est ici que nos routes se séparent, lui dit celui-ci en pointant la direction qu'il devait prendre pour rejoindre les secouristes.

— Non! Je refuse d'y aller! Gardez-moi avec vous dans la forêt, m'sieur! Je ne veux plus voir ma famille. Ils m'embêtent. Toujours à ressasser le passé et à me parler d'un père que je n'ai jamais connu…

— Mais… je ne peux pas te garder avec moi, petit. Je suis un solitaire et je n'ai plus de famille, tandis que toi, tu as la chance d'avoir des gens qui t'aiment et qui s'inquiètent pour toi. Va et sois heureux mon gars et promets-moi de rester fidèle à ceux que tu aimes! lui dit-il en posant sa grande main sur l'épaule du jeune rescapé qui baissa la tête et repartit en direction des cris.

— Ah! Te voilà enfin, Will! Tu nous as fait une de ces peurs, le réprimanda une femme à la longue chevelure brune.

Le coureur des bois qui s'apprêtait à rebrousser chemin s'arrêta net en entendant le prénom de l'enfant.

Lorsque la femme leva les yeux pour s'adresser au bon samaritain, ce dernier avait déjà repris la route.

— Hé monsieur! Attendez! Je tiens à vous remer…

Avant même qu'elle ait terminé sa phrase, l'homme se retourna et la mère du garçon vit pour la première fois le visage de son sauveteur.

De sa main, elle étouffa un cri. Ses yeux se remplirent de larmes et elle fut incapable pendant quelques secondes de décrocher son regard de celui de l'homme qui se tenait devant elle :

— Will ! Will… Ghündee ! C'est bien… toi ! balbutia-t-elle, hésitante, en se rapprochant un peu plus près du coureur des bois, sous le regard étonné de son fils qui ne comprenait pas la réaction de sa mère.

— Catherine ! fit ce dernier dont le regard s'adoucit aussitôt à la vue de celle qui fut autrefois sa bien-aimée et qui restait, depuis, son unique amour.

Catherine, toujours en état de choc, regardait Will en cherchant à comprendre.

— Mon Dieu, Will ! Je ne saisis pas ! Tu étais mort… dit-elle. Tu es ici depuis combien de temps ? Pourquoi n'es-tu jamais revenu me voir ?

Avant que Will n'ait le temps de lui répondre, d'autres secouristes arrivèrent sur les lieux.

Will, pris au piège comme un lièvre dans un collet, attrapa le bras de Catherine et s'éloigna avec elle, suivi de près par le garçon.

Maintenant que son secret était découvert, il savait qu'il devait des explications à Catherine, mais ce n'était ni le moment ni l'endroit pour les lui fournir.

Une fois à l'écart...

— Écoute Catherine... je vais tout t'expliquer. Mais, dis-moi... ton fils ne s'appelle pas Nathan ? Pourquoi l'as-tu appelé Will ? demanda-t-il, intrigué.

Le garçon qui ne comprenait rien à toute cette histoire lâcha :

— M'man, tu connais cet ermite ? Il m'a sauvé la vie. Un ours gigantesque voulait me dévorer et il est arrivé juste à temps ! raconta le jeune William avec enthousiasme.

Catherine se tourna vers son garçon, le regarda droit dans les yeux et lui dit :

— L'homme qui t'a sauvé la vie, eh bien... c'est ton père ! C'est l'homme de ma vie !

Puis en se tournant vers lui, elle le regarda amoureusement et reprit :

— Celui dont j'attends le retour depuis douze ans...

À cet instant, Will et le garçon demeurèrent perplexes. Ils se détaillèrent avec un regard nouveau. Le jeune fugueur qui vivait une révolte intérieure depuis plusieurs années, faute de n'avoir jamais connu son père, laissa échapper une larme qu'il essuya maladroitement pour ne pas décevoir son paternel qui se tenait devant lui.

Will perdu dans ses pensées entendait les exclamations des secouristes qui s'étaient attroupés autour de lui. Parmi eux, il y avait ses frères et ses sœurs ainsi que deux de ses cousins qui l'embrassèrent et lui posèrent mille et une questions.

Will était incapable d'avoir la moindre réaction. Des images se bousculaient dans sa tête et, parmi celles-ci, il y avait les deux seules fois où il avait fait l'amour avec Catherine.

Malgré l'immense joie qui l'habitait, il était perturbé et au comble du désespoir. Il se souvenait de la promesse qu'il s'était faite, il y a de cela plusieurs années. À ce moment-là, il avait fait le choix de s'exiler afin de ne pas risquer de mettre sa famille en danger.

Depuis son exil, il avait eu à accomplir une seule mission importante. Puis, plus rien. Il était resté seul dans la forêt, attendant que Gaël vienne le solliciter à nouveau pour une autre mission périlleuse.

Aujourd'hui encore, il savait qu'il ne pouvait rester, car il risquait d'attirer le danger sur eux. L'émotion était à son comble. Il regarda Catherine, celle qui n'avait pas quitté ses pensées depuis douze ans. Il fallait tout lui révéler, il lui devait bien ça !

Il prit alors sa main et celle de son fils et, sous le regard déçu des autres personnes présentes, s'éloigna à bonne distance afin d'être sûr de n'être entendu que par eux seuls.

— Catherine… assieds-toi ! Je veux que tu écoutes ce que je vais te dire sans m'interrompre. Tout d'abord tu es et tu seras toujours la femme de ma vie, et jamais je n'ai voulu te faire de peine. Je suis l'homme le plus heureux du monde d'avoir eu la chance de rencontrer mon fils et d'avoir pu te revoir.

— Will, tu me fais peur ! Qu'est-ce qu'il y a encore ?

— Laisse-moi te raconter ce qui s'est passé après l'explosion et tu comprendras.

« Lorsque j'ai ouvert les yeux après l'effondrement, je me croyais au pays des morts. C'est alors que j'ai vu, tournoyant dans le ciel, un aigle pareil à celui qui semblait me suivre au début de ma mission. Je ne savais pas comment ni de quelle façon j'avais pu survivre à cette terrible explosion. Je me touchais et je n'avais aucune blessure, je ne ressentais aucun mal. C'était un vrai mystère pour moi. Mais, j'étais bel et bien vivant et revenu à la surface… Puis, soudain, poursuivit Will, l'aigle a piqué vers moi à vive allure. Méfiant, j'ai sorti mon épée et à mon grand étonnement l'aigle a ralenti sa descente et s'est posé doucement sur ma lame pointée vers le ciel.

— Eh bien, Will Ghündee! On peut dire que tu as eu de la chance! m'a-t-il dit.

Puis, sous mes yeux, l'aigle s'est transformé et a pris un aspect humain. Cet oiseau, c'était Gaël…

Nous avons commencé à discuter et il m'a alors dit à quel point il avait fait des pieds et des mains pour m'éviter les ennuis et, qu'une fois sous terre, il ne pouvait plus rien pour moi. Mais j'ai vu dans son regard à quel point il était fier de ma réussite. Puis il a rajouté :

— Will... là-haut, c'est la fête ! Tu as libéré dix mondes peuplés qui, n'eût été ton courage, auraient subi la dévastation et auraient vécu sous le joug de ces mutants sanguinaires.

Malgré ses paroles réjouissantes, j'étais incapable d'être heureux et je suis resté silencieux.

Gaël m'a alors demandé :

— À quoi penses-tu Will ?

Je n'ai rien répondu, mais j'ai voulu lui remettre la pierre du Guibök et l'épée... »

Catherine percevait à quel point c'était difficile pour lui de revivre ces instants. Elle lui prit la main et lui fit signe de continuer.

— Il n'a pas voulu les reprendre... Il m'a dit qu'en tant qu'Élu, je demeurais au service du Grand Esprit et qu'il ne pouvait me libérer de ma mission. Seul le Très-Haut pouvait décider de mon sort. Il a terminé en me disant qu'il pourrait y avoir d'autres missions, comme il se pourrait qu'il n'y en ait plus, mais que nul ne pouvait le certifier. À cet instant, ma vie n'avait plus de sens. Pour protéger tous ceux que j'aimais, je devais m'exiler. Le seul choix qu'il me restait était de m'éloigner et de vous laisser croire que j'avais péri dans l'explosion. Quant à moi, je n'avais plus rien... Gaël m'a quitté en me disant qu'il était désolé. Je lui ai dit que je savais que s'il le pouvait, il me libérerait de cette cruelle situation. Il m'a promis qu'il reviendrait chercher l'épée et la pierre au moment opportun. Douze ans se sont écoulés depuis et, la seule fois où j'ai revu Gaël, c'était lors de ma dernière mission. Voilà, je t'ai tout dit. Je ne serai jamais libre Catherine. Ce sera un éternel recommencement...

— Pas tout à fait! déclara une voix immatérielle derrière eux.

— Gaël! s'exclama Catherine. Après toutes ces années, te revoilà!

Un peu honteuse, elle baissa la tête, regrettant de lui en avoir voulu pour la mort de son bien-aimé.

En guise de pardon, le messager lui adressa un beau sourire et, après avoir posé son regard sur Will junior, leva les yeux vers son protégé.

— Will, mon ami ! Ici se termine ma mission à tes côtés. Ta route en tant que redresseur de torts s'arrête là. Un hasard heureux a voulu que ce soit ton fils qui te libère en entrant en contact avec toi. Cette rencontre providentielle a rompu tes obligations envers le Grand Esprit qui te remercie pour tout ce que tu as accompli.

Posant un dernier regard empreint de reconnaissance sur celui qu'il considérait comme son meilleur ami, il déclara solennellement :

— Will Ghündee, tu es désormais libre. Va et sois heureux ! Tu as tout notre amour et notre respect, pour toujours.

— Merci Gaël ! firent d'une même voix Will et Catherine.

Will embrassa Catherine et serra son fils contre lui. Il n'avait jamais été aussi heureux de toute sa vie. Son cœur débordait de joie. Après toutes ces années de tristesse et de solitude, il était enfin libéré de ce lourd fardeau qu'il avait accepté par grandeur d'âme.

Ému, il rejoignit les membres de sa famille, accompagné de Catherine et de son fils. Il apprit avec joie que le vieux Rod et sa tante Marie attendaient toujours son retour.

Une fois remis de leurs émotions, les membres de la petite famille se dirigèrent vers le camp du coureur des bois où Will junior put contempler la fameuse couverture Koudish, l'épée du Grand Esprit et la pierre du Guibök.

Aussitôt que Will junior eut admiré ces artefacts, ils disparurent soudain, au grand étonnement de Will, lui laissant pour unique souvenir la pierre de la déesse Aurora.

— Cher Gaël, tu as tenu parole, songea Will avec un sourire plein de reconnaissance pour la nouvelle vie qui se dessinait devant lui...

INDEX

Répertoire des personnages,
créatures et artefacts

Bracelet magique (Le):

Confié à Catherine par Gaël, ce bracelet recèle
de grands pouvoirs et assure à son porteur
assistance et protection.

Catherine:

Fille de Ralph McBride, médecin du village
de Mont-Bleu. Catherine est aussi la fidèle
complice et la bien-aimée de Will. Tous deux
sont inséparables.

Dirla:

Fille unique de Gabrielle, elle est sourde
de naissance et suit sa mère partout.

Édouard Ghündee :

C'est l'aîné des garçons de la famille Ghündee.
Ce gringalet au grand cœur qui n'a pas hérité de
la stature et de la force de son père étudie pour
devenir médecin. Lorsqu'il fut séparé de ses
frères et sœurs, Ted se promit bien qu'à sa majorité il mettrait tout en œuvre afin réunir ses
frères et sœurs sous un même toit et qu'ils
referaient leur vie à Moulinvert.

Élizabeth Ghündee :

Sœur aînée de Will, elle fut jadis comme une
deuxième maman pour Will, dont elle s'occupait
avec grand soin.

Épée du Grand Esprit (L') :

Arme divine, façonnée par les demi-dieux,
elle recèle des pouvoirs prodigieux et assure
protection à son porteur en toute circonstance.

Gabrielle :

Cette mère de famille affligée vit comme
une fugitive avec sa fille depuis les terribles
événements qui ont dévasté son village.

Gaël:

Ancien serviteur de la princesse Arthélia, changé
en Arouk le Taskoual après qu'un sort lui fut jeté
par la sorcière Zôria. Libéré de son enveloppe
animale suite à une blessure mortelle infligée par
un Lokust, Gaël est devenu, depuis, le messager
du Grand Esprit et protecteur de Will.

Grand Esprit

Surnommé par certains *Le Tout-Puissant* ou
Le Très-Haut, Il règne sur les univers qu'il a
créés, mais il s'interdit d'intervenir directement
dans le destin des humains pour que ceux-ci
puissent progresser par eux-mêmes. Il a une
grande affection pour Will qui a plusieurs fois
empêché l'anéantissement de son monde.

Kündo:

Ce garçon de nature enjoué, voue une grande
admiration à Will qui l'a adopté comme un
véritable frère et vit depuis avec lui, chez
le vieux Rod.

Lion préhistorique:

Transformation
de Kündo lorsque
sa vie ou celle
d'un être cher est
en danger. Sa force
et sa puissance
d'attaque ont été
décuplées par Gaël.

Lydia Ghündee:

Plus âgée de cinq ans que Will, Lydia affectionnait
son petit frère et demeura inconsolable lorsqu'on
sépara la fratrie après le drame qui emporta ses
parents et détruisit leur maison à Moulinvert.

Marika:

Sage-femme et prophétesse habitant
Moulinvert. C'est elle qui a annoncé l'arrivée
du Chevalier blanc.

Melgrâne le redoutable :

Suprême incontesté
des Mirgödes. Il rêve
d'assouvir sa ven-
geance envers
Will qu'il considère
comme l'ennemi à
abattre depuis son
passage sur son territoire.

Mirage (Boîte à) :

Petit engin volant en forme de crabe et doté
de lumières à l'extrémité des pattes. Conçues
par les Mutants orphéguiens, ces petites machines
volantes ont pour but de
tendre des pièges
à l'imprudent qui
s'aventure trop
près, en créant
des illusions
d'optique.

Mirgödes:

Race mystérieuse d'humanoïdes très intelligents gardiens de l'antre des Maltïtes et du passage intemporel.

Mystérieux étang Noir (Le):

Étendue d'eau noire aux profondeurs impossible à sonder.

Ozlark, chef des mutants:

Origine: Planète Orphéga. Ces dangereux humanoïdes d'aspect repoussant possèdent une grande force physique. Leur but: envahir les mondes les uns après les autres, afin de soumettre leurs habitants et repartir en emportant l'énergie vitale des planètes visitées.

Pierre ancestrale du Guibök (La):

Extraite du Bisantium, la
pierre ancestrale confère
à son porteur certains pouvoirs, dont celui de voyager
d'un univers à l'autre. Elle
peut devenir extrêmement
dangereuse entre des mains
mal intentionnées.

Plante carnivore:

Plante géante pourvue
de petites dents, d'un
gros pédoncule et
d'une corolle capable
d'avaler un être humain
en quelques secondes.

Robot Gardien:

Redoutables automates au service des Mutants orphéguiens se déplaçant à l'aide de propulseurs. Leur armure métallique invulnérable dotée de canons laser, en fait des adversaires impitoyables.

Rod Bigsby:

Surnommé le «vieux Rod», ce forgeron aux allures rudes et au grand cœur a adopté Will à son retour du monde parallèle. Homme fort du village, il aime Will comme son fils.

Ted Ghündee:

De trois ans plus vieux que Will, ce brave garçon fut tout aussi secoué que lui par la séparation d'avec ses frères et sœurs.

Vaisseaux envahisseurs:

Petits vaisseaux métalliques laissant échapper de fortes décharges, dans lesquels prennent place Ozlark et ses sbires.

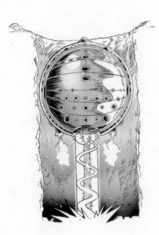

Vaisseau mère:

Cette énorme sphère métallique, au service des mutants Orphéguiens, agit aussi comme station de pompage. Doté d'un laser géant, elle a la capacité de désintégrer l'écorce terrestre en quelques secondes.

Will Ghündee:

Jeune forgeron au grand cœur possédant une force surhumaine. Plutôt humble, il est généreux et capable de grands sacrifices afin de secourir les pauvres innocents en danger. Son amour pour ses proches et son travail à la forge occupent une grande place dans sa vie, mais il raffole des balades en forêt au clair de lune. Ses dons et sa force exceptionnelle en font un redoutable guerrier.

TABLE DES MATIÈRES